Treize

Saison 3

Tome 3 : Qui survivra à
MacGregor ?

Édition : BoD · Books on Demand, 31 avenue Saint-Rémy, 57600 Forbach, bod@bod.fr
Impression : Libri Plureos GmbH, Friedensallee 273, 22763 Hamburg (Allemagne)
ISBN : 978-2-3225-5705-9
Dépôt légal : Juin 2025
Prix : 16,90 €

À mes lecteurs,
Sans vous le rêve ne serait pas permis,

Les candidats

Sorciers

Derek Hook : Appartenant au clan des sorciers de feu, il est l'héritier de la famille Hook ; il est arrogant, provocateur et se pense supérieur aux autres.

Lévana Strain : Appartenant au clan des sorciers des bois, elle a été kidnappée par des loups et a été retenue prisonnière pendant des années dans un essaim de vampires. Pourtant, elle est l'héritière du clan des bois.

Artémis Tempest : Appartenant au clan des sorcières des eaux, on sait très peu de choses sur elle ; elle est la nièce du dirigeant actuel du clan, qui le gouverne d'une main ferme et militaire.

Loups

Gabriel : Alpha de la meute, il a dû quitter celle de son père en urgence au risque de le provoquer en duel. Il semble se plaire dans son nouveau rôle.

Lucas : Bêta de la meute, il est le meilleur ami de Gabriel depuis toujours et l'a suivi quand le moment est venu. Il est loyal, mais a du mal à trouver son rôle de bêta. Il respecte aveuglément les ordres et oublie le rôle de conseiller qui incombe au bêta.

Isabella : Sœur de Lucas, elle suit son frère et Gabriel. L'instinct de sa louve est puissant et lui fait peur. Elle compte sur Gabriel pour l'aider à le gérer.

Ethan : Plus jeune loup de la meute, il suit Gabriel et Lucas depuis qu'il est petit. Il pense qu'ils forment les trois mousquetaires, même si les deux autres le considèrent comme leur petit frère.

Vampires

Carmilla : Reine des vampires de l'essaim de Bourgogne, elle est très controversée au sein des autres essaims, car elle n'en fait qu'à sa tête et ne suit aucune règle dictée par les vampires les plus puissants.

Severn : Bras droit et le plus vieil ami de Carmilla, il la suit et obéit à ses ordres sans se poser de questions.

Joshua : Jeune vampire que Carmilla a transformé en urgence. Il ne maîtrise pas encore ses pulsions de soif, mais il suit Carmilla où qu'elle aille.

Les autres

Thya : Chamane du clan Wu, des Indiens amérindiens vivant dans une réserve au sud des USA.

Bibu : Gobelin dont on connaît peu de choses.

Ayden : Métamorphe traqué depuis des décennies, il fait partie des rares encore en vie, à la suite du génocide de leurs races cautionné par toutes les autres.

June : Jeune fée et ex-productrice de l'émission. Elle a choisi de rester sur l'île avec les candidats.

Les nouveaux arrivants

MacGregor : Avons-nous vraiment besoin de le présenter ? C'est le plus vieux vampire d'Europe. Il détient un nombre incalculable de commerces. Ses activités ont toujours frôlé la légalité.

Grégoire : Le bras droit de MacGregor. Il ne semble pas très intelligent, mais il exécute ce qu'on lui demande.

Angel : Elle fait partie de la garde rapprochée de MacGregor. Elle le suivrait au bout du monde. Est-ce par amour ?

Résumé des épisodes précédents

Judith Mikelson

« Quelle joie de vous retrouver pour cette toute dernière saison de *Treize* ! Je me réjouis d'avance de ces épisodes, mais j'ai aussi une triste nouvelle : c'est la fin. Eh oui, à l'issue de cette émission, notre série se terminera et nous dirons adieu à nos candidats. Enfin, ceux qui survivront évidemment ! Pour les autres, ils resteront à jamais dans nos cœurs, et nous pouvons d'ores et déjà les remercier de nous avoir divertis. Suis-je cruelle ? S'il y a une troisième saison, c'est que vous adorez. L'audience, les publicités et l'argent coulent à flots, mes chers petits, alors on sait que vous êtes là, derrière votre écran. Ne vous en faites pas ! On ne vous jugera pas…

Après l'interruption de nos programmes pour quelques semaines, je ne vais pas vous laisser dans la panade. Eh oui ! La mémoire nous fait défaut. Je vous ai concocté un résumé juste pour vous. Dois-je tout reprendre depuis le début ou seulement la saison 2 ? En toute franchise, si vous ne vous souvenez plus de la saison 1, vous n'avez qu'à repasser la synthèse au début de la saison 2. Et si c'est le cas, je vous conseille une visite chez un vétérinaire, il semblerait que le temps soit venu d'abréger vos souffrances. Je plaisante bien sûr ! C'est tout moi, je suis tellement excitée de vous retrouver que je me transforme en vieille pie. Allez, mes ailes frétillent d'impatience. Place à notre résumé… »

Résumé

Après avoir identifié très clairement notre taupe, nos candidats ont mis en place une stratégie des plus intéressantes : ne rien faire, ne rien dire et observer. Est-ce une bonne idée ? Il n'y a qu'à voir la suite des événements. Il est vrai que certains d'entre eux sont de très mauvais comédiens. Vais-je citer des noms ? Mais bien sûr… Lévana, par exemple, ne peut s'empêcher de s'emporter sur ses deux compatriotes. Elle explique clairement les sévices qu'elle a subis à cause des parents de Derek et d'Artémis. Mais Severn, la taupe, veille et écoute attentivement. Pour couper court à cette mauvaise sitcom, Carmilla, la reine de l'essaim de Bourgogne, éloigne la jeune fille afin qu'elle vide son sac. Mais les oreilles de nos vampires, même inférieures à celles des loups, restent redoutables. Notre complice de MacGregor est caché dans les bosquets, il entend tout, il sait tout. Et lorsque Lévana avoue pouvoir identifier tous les proches de MacGregor, elle signe clairement son arrêt de mort.

Heureusement, Carmilla est une comédienne hors pair. Je ne comprends pas pourquoi elle n'a pas encore sa propre série sur nos chaînes. Elle parvient à rattraper le coup. Elle feint d'hypnotiser notre chère Lévana, et demande à Severn de s'approcher pour lui révéler que la jeune sorcière est sous son emprise, et qu'elle lui crachera tout ce qu'elle sait. Il n'en faut pas plus à Severn pour commanditer un meurtre, en demandant à son fidèle serviteur, Bibu, de l'exécuter. Hélas, celui-ci a déjà retourné sa veste depuis un moment. Son jeu d'acteur est si mauvais que Severn commence à avoir des soupçons.

Lors du retour sur la plage, le ton monte entre les sorciers. Carmilla place Lévana sous la protection de la meute, mais ce n'est pas elle qui sera la première victime de Severn. Il faut dire que la meute de Gabriel ne laisse aucune chance à quiconque de s'approcher de la sorcière des bois. Cela exaspère les sorciers et crée un conflit d'envergure sur le camp. Pendant l'altercation, Artémis, sorcière des eaux, s'éloigne pour marcher les pieds dans l'océan. Elle souhaite se ressourcer auprès de son élément. Mais souvenez-vous, le méchant rôde. Severn, sachant qu'il est démasqué, décide de passer à l'action. Et quoi de mieux que de s'offrir les pouvoirs d'une sorcière ? Après avoir goûté à son sang du bout des lèvres, il l'assassine en lui enfonçant un pieu dans le ventre. Vous aussi, vous trouvez cela ironique ! Un vampire qui tue avec un pieu, je vous jure, plus rien ne me surprend dans ce monde.

La grande question est : lui a-t-il donné son sang ? Va-t-elle revenir avec des canines surdimensionnées ? Derek ne nous laisse pas le temps de la réflexion, car il brûle son corps afin d'éviter un tel retour, sur les conseils plus qu'avisés de Carmilla. Mais n'avons-nous pas oublié les aventures d'une petite meute trop mignonne ? Ah ! Ceux qui connaissent la saison 2 doivent se régaler devant ma boutade ! Eh oui, un nouveau doute plane, et non des moindres ! Isabella, la jeune louve, semble sous le charme de Severn. Pourquoi ? Parce qu'il lui offre une opportunité de ne pas vivre en tant qu'oméga au sein d'une meute. Pour autant, est-elle convaincue ? Je ne crois pas. Quitter la malédiction de la lune pour devenir une damnée et suceuse de sang, n'est-ce pas survivre à la peste pour se plonger dans le choléra à corps perdu ? Je ne sais pas. Je suis issue du peuple le plus adoré, les fées !

Oh ! J'ai le droit de me lancer des fleurs, sinon personne ne le fera. Poursuivons, voulez-vous ? Notre petite louve décide de jouer les agents doubles, sous la direction du nouveau bêta, Ayden (qui n'est même pas garou, soit dit en passant). Il a monté ce plan avec Carmilla sans en informer l'alpha Gabriel. Celui-ci, dans un élan de confiance extrême, n'a pas semblé voir le loup arriver, et pourtant…

Isabella nous récite une partition parfaite avec Severn, presque un peu trop. Elle avance tout en doutant de son choix, mais son amour interdit lui donne des ailes. Severn tombe les deux pieds dedans et transpire d'amour pour la jeune femme. Il n'a qu'un souhait : la protéger et lui offrir un réconfort dans ses bras. Vous me voyez venir, j'ai déjà envie de vomir devant cette romance à la Roméo et Juliette. Honnêtement, j'ai détesté me coltiner ces niaiseries, mais cela en valait la peine… Pourquoi, me direz-vous ?

Nous avons eu droit à un comédien hors pair : Lucas, le grand frère d'Isabella. Il a feint de trahir son alpha pour rejoindre le traître Severn et surveiller sa sœur. Mais avait-elle envie de sa présence ? Clairement non, il ne lui a pas fallu longtemps pour qu'elle le dénonce à son nouvel amour. Lucas se retrouve chassé par le vampire. À un détail près, ma camarade June était dans sa poche. Elle était auprès du loup, pour espionner allègrement Severn et obtenir des informations de la plus haute importance concernant MacGregor.

Dans sa chute, Lucas a blessé sauvagement notre jolie fée. June a une aile brisée et il lui faudra de longs jours de convalescence pour s'en sortir. Lucas prend soin d'elle. Est-ce de la culpabilité ou bien des sentiments naissants qui pointent le bout de leur nez ? Tout ce que je peux vous dire, c'est que le roi des fées en avalerait presque son lait de poule de travers en revoyant les images. D'autant que June a commis un acte de trahison pour notre peuple. Elle a autorisé une non-fée à utiliser de la poudre dorée, qui vaut tant de sacrifices. Thya, la chamane s'en est servi, et notre ancienne productrice devenue candidate a retrouvé tout son éclat. Je vous rassure, le roi a gracié cet acte ignoble. A-t-il cédé à vos menaces ? Je ne saurais dire, mais l'acte reste impardonnable pour ma part. J'ai bien conscience que mon avis ne vous intéresse pas, mais je le donne quand même.

Après une suite de péripéties (si vous tenez à en savoir plus, vous n'avez qu'à regarder la saison 2, je ne suis pas non plus votre porteur de ragots, je me dois d'aller à l'essentiel), Isabella retourne au camp près de son alpha, délaissant le pauvre Severn sans amour et dans la forêt froide. Alors commence un nouveau jeu de dupes… La jeune femme informe nos aventuriers que le plan est en marche… Mais de quoi veut-elle parler ?

MacGregor est en route, il ne laissera aucun survivant sur l'île. Même les fées-caméras sont prises pour cible. Mais pour qui se prend-il ? Monsieur serait le plus vieux vampire d'Europe, il serait au-dessus des lois. Eh bien, je dis Monsieur… Vous l'avez compris ! À l'heure où je vous parle, MacGregor n'est pas encore sur l'île. Sinon je me serais bien gardée de tenir de tels propos, je tiens beaucoup trop à la vie. Et s'il venait à sortir et découvrait cet enregistrement, je serais déjà loin. Ai-je enregistré un autre résumé où je fais son éloge ? Cela ne vous regarde pas !

Reprenons, je vous prie ! Je n'ai jamais eu confiance en Isabella, et je n'ai pas cessé de vous avertir. Ai-je raison ? Sachez que je n'ai jamais tort ! La jeune louve a rejoint sa meute avec la queue entre les jambes. Beaucoup d'entre vous se sont dit que les paroles de Severn l'ont effrayée. Que nenni, on ne me trompe pas, je l'ai vu dans son regard. De quoi ? La fourberie, mes chers téléspectateurs, voilà tout. Elle a essayé d'endormir les candidats regroupés sur le camp, elle n'a pas hésité à sacrifier son propre frère pour se sauver. Elle souhaitait simplement avoir une vie agréable. Pour tous ceux qui ont de vrais soucis de mémoire, je vais vous raconter l'histoire d'Isabella.

La jeune louve est née dans une famille où les femmes garous portent une tare. Sa mère a sombré dans la folie, devenant une louve sauvage. Sa meute n'a pas eu d'autre choix que de l'exécuter pour éviter un bain de sang. Isabella avait un plan pour contrer cela, et son ami Gabriel devait l'aider. Mais la vie est parfois étrange, et les rencontres que l'on fait peuvent forcer le destin. Gabriel devait nommer Isabella comme oméga soumise au sein de sa meute. Ainsi, elle ne pourrait plus devenir sauvage comme sa mère. En contrepartie, l'alpha faisait d'elle sa compagne pour qu'elle monte dans la hiérarchie et que personne ne s'en prenne à elle. Nous connaissons tous les lois qui régissent les garous, et nous trouvons cela atroce ce qui se passe autour de ces pauvres omégas. La hiérarchie peut être dure au sein de cette espèce. Ah ! je vous vois déjà venir. Je ne compare pas les garous aux animaux, ils restent des êtres dotés d'intelligence et de savoir comme les humains. Mais tout de même, ils sont dirigés par des lois archaïques, vous ne pensez pas ? Bref ! Le plan de ces deux-là était bien ficelé, jusqu'à ce que Severn sauve la jeune femme de la meute qui était censée la protéger. Le vampire, tombant sous le charme de la louve, lui a proposé une solution bien différente, Isabella a succombé aux promesses de Severn. Elle est retournée au camp pour obtenir des informations, mais Carmilla n'a pas dit son dernier mot. Elle a attaqué son ancien serviteur sans ménagement, le laissant presque pour mort. Si la reine des vampires a fait tout cela, c'est pour l'obliger à boire du sang autre que celui d'un sorcier. Je vous rappelle que Severn a les pouvoirs d'Artémis puisqu'il s'est nourri de la pauvre petite avant de l'exécuter. Isabella a reçu l'ordre de ne pas retourner vers lui. Elle nous a livré une prestation de comédienne, digne du Festival de Cannes des humains. Elle a joué la godiche apeurée qui se cache dans les pattes de son alpha. Gabriel l'a entourée de toute son aura protectrice, et pourtant… Severn s'est réveillé avec la fièvre de la soif, une force décuplée et une envie de boire ce nectar d'hémoglobine. La louve a révélé son vrai visage, elle menace June, notre fée préférée. Elle exige de sortir du camp avec une personne à sacrifier pour Severn. Eh oui, si elle ne le rejoint pas avec un bon repas, il se pourrait que le vampire ne se contrôle pas et la tue en tentant de se nourrir.

Pauvre louve ! La question que nous nous posons tous : la folie l'a-t-elle déjà gagnée ? Les candidats du camp sont beaucoup plus unis qu'il n'y paraît. Après un combat acharné et sous les plaintes de Severn, la louve est mise à mort par son alpha. Gabriel lui brise la trachée après un accord tacite avec son frère. La jeune louve est brûlée afin qu'elle ne revienne plus parmi nous. Severn est anéanti et promet de tous les tuer.

Nous avons quitté nos candidats encore sous le choc de cette nouvelle trahison. Lorsqu'un bruit retentit dans la forêt, il semblerait que le grand patron, le big boss, le plus vieux vampire du monde, toque à la porte. MacGregor est là, mais une question nous brûle les lèvres : est-il seul ? Est-ce que ses sbires l'ont accompagné ? Il est temps de nous plonger dans la fin des aventures de nos treize candidats. Mais qui survivra à MacGregor ? Telle est la question !

Épisode 1

Judith Mikelson

« Mes chers téléspectateurs, est-ce que je vous ai manqué ? Ne me mentez pas ! Je sais que vous m'attendez comme la neige à Noël ou les cerises au printemps. La nouvelle est terrible : c'est la dernière saison de notre magnifique émission. Mais pourquoi me direz-vous ? Nous risquons de manquer de candidats à force de les voir s'entretuer ; et je vous rappelle que MacGregor est sur l'île, prêt à en découdre. Et puis, cela a créé trop de conflits dans notre monde, je le crains. Les vampires, les sorciers, les garous et même les fées sont sur le pied de guerre. Je me dois donc de vous annoncer qu'à l'issue de cette saison nous ne retrouverons plus de téléréalité sur les chaînes surnaturelles.

Ah, mais je vous vois en train de spéculer. En effet, June est la fée responsable de ce genre de programme. Mais ce n'est pas parce que nous arrêtons ces programmes qu'elle est morte. Tout de suite ! Et je vous rappelle qu'elle vit une idylle avec un loup nommé Lucas. Le pauvre petit a perdu sa sœur, et notre bonne fée ne fait que le consoler. Je vois vos regards en coin, et vos sourires pleins de malice. Mais l'heure n'est pas au romantisme, Derek vient de jeter une oreillette en hurlant que MacGregor est arrivé. Mais avec qui parlait-il ? C'est l'heure des révélations. Vous connaissez la rengaine… place à l'épisode… »

Épisode 1

Derek réclame le silence, ce qui ne semble pas au goût de Gabriel qui se contracte sous le « chut » du sorcier de feu. Son visage se ferme et l'on pourrait presque lire la peur dans ses yeux. Soudain, un son strident sort de son oreille, il grimace et retire une oreillette. Il la jette au sol et l'écrase avant de lancer avec angoisse :

— Il est là !

Tous comprennent de qui il parle, MacGregor vient d'arriver sur l'île. Le plus vieux vampire d'Europe est en place, prêt à punir ces insolents qui l'ont défié. Je dirais même pire, ils ont ruiné son business en révélant tous les côtés sombres qu'il a mis en place durant toutes ces années. Je ne le connais pas, mais je doute qu'il soit heureux de la situation.

June ramasse l'oreillette et la regarde avant de la lancer en direction de Derek.

— Depuis quand tu as ça ?

— Lorsque Jesmi est partie, je lui ai demandé de rester en contact avec moi. Elle me communiquait les informations grâce à cette oreillette.

— Petite peste, dit Carmilla. Je n'ai jamais pu l'encadrer.

June ignore la reine des vampires de l'essaim de Bourgogne et questionne Derek :

— Pourquoi l'as-tu jetée, si c'est notre moyen de communication ? Pourquoi n'as-tu rien dit avant ?

— À cause de votre attitude à tous. Elle savait qu'elle n'était pas très appréciée et ne voulait pas que vous remettiez sa parole en doute. Je l'ai détruite, car elle n'est plus en fonction. Jesmi m'a averti qu'elle grillerait à leur arrivée. Nous sommes sans communication avec l'extérieur.

Il se tourne vers Carmilla et lui dit :

— Ils ont réussi à baisser le portail et à le rouvrir en quelques secondes, mais il est venu avec deux vampires.

Le silence tombe sur le camp comme une pluie pendant la mousson. MacGregor, ce n'est déjà pas une mince affaire, mais accompagné de deux de ses fidèles sujets, c'est impossible. La mission semble virer au suicide. Bibu se tient le visage dans les mains, ses épaules tombantes. Il est clairement abattu. Il cherche une caméra et la fixe. Il murmure :

— Ma sœur, je suis terriblement désolé, je doute que l'on se revoie un jour. Ne t'en veux pas, j'ai tout fait pour te libérer et je referais la même chose si je le devais.

Gabriel lui pose une main sur l'épaule et lui lance avec un soupçon de colère :

— Rien n'est perdu ! Compris ?

— Tu ne sais pas de quoi tu parles, tu n'as jamais eu affaire à eux. Nos chances, qui étaient presque nulles, viennent de passer sous la barre des moins. Je te conseille aussi de…

— Tais-toi ! Je ne me laisserai pas faire et je vendrai chèrement ma peau.

Gabriel grimpe sur le tronc d'arbre et regarde les survivants de son camp. En effet, ils me font presque de la peine, enfin si j'avais un cœur. Thya la chamane frotte le dos du gobelin, en lui murmurant des paroles réconfortantes. Derek, le sorcier de feu, observe Carmilla comme si elle était la seule à pouvoir survivre. Ayden a le visage fermé et les poings serrés, il semble le seul prêt à en découdre. Cela nous change de son attitude nonchalante de ces derniers jours. Lévana, la sorcière des bois, est tout aussi déterminée, elle est assise à côté du métamorphe très remonté. Attention à ne pas vous brûler les ailes tous les deux. La colère n'a jamais été bonne conseillère pour la vengeance, parole de fée... June observe les candidats avec un regard triste. Ethan et Lucas, quant à eux, sont déjà sur le qui-vive. Ils se sont placés près de la porte de leur forteresse de fortune.

Gabriel se racle la gorge et reprend :

— Nous sommes dix et ils ne sont que quatre ! Nous avons Ayden, un métamorphe. Il représente le pire cauchemar de MacGregor, puisqu'il a commis un pseudo-génocide pour le tuer. Carmilla est aussi puissante et nous avons le pouvoir de la meute. Je ne parle pas des sorciers qui, en alliant leurs talents, ont réussi à plusieurs reprises à nous montrer l'art de la guerre. Si MacGregor veut se battre, alors nous l'anéantirons, tout vieux vampire qu'il soit.

Hélas, son petit discours n'a pas l'effet escompté, même pas un hourra. L'abattement est toujours de mise. Carmilla questionne Derek :

— Est-ce que tu sais qui est avec lui ?

— Oui !

— Sérieux ! Tu vas m'obliger à te demander !

Le sorcier lève les yeux au ciel et lui annonce :

— Il y a une femme, Ang… quelque chose.

— Angel.

— C'est ça, et l'autre, Grégoire.

— Putain de merde d'enfoirés ! Il a réussi à venir avec ses plus fidèles serviteurs.

Elle met un coup de pied dans le sable et s'éloigne des autres, laissant Gabriel sur son perchoir. L'effet de son discours, qui n'a déjà pas transcendé les foules, finit par retomber comme un soufflet.

Mais qui sont ces deux vampires qui ont pu passer les barrières de l'île ? Tout ce que je peux vous dire, c'est… Alerte, beauté en vue ! Il se pourrait que Carmilla ait une concurrente.

Et si nous allions voir tout ça. Il est temps d'apercevoir le grand MacGregor dans la forêt de cette île hostile. Je doute qu'il trouve sa place, comme dans un bar branché de New York ! Est-ce que je me moque de lui ? Possible ! Tant qu'il ne le sait pas, tout va bien. Encore une fois, je tiens bien trop à mes ailes et à ma vie pour prendre le moindre risque. Je me souviens encore de mon regretté collègue James Filigan tué… Pardon, qui a chuté dans les escaliers du métro.

Je vous vois trépigner d'impatience, sautiller comme des enfants qui attendent des sucreries. Il est temps de rejoindre Severn et ses nouveaux acolytes. Êtes-vous prêts à découvrir le visage du mal à l'état pur ? Severn est toujours sous le choc de la mort de sa bien-aimée Isabella. Il ne s'est pas encore nourri, et la fièvre de la soif l'a rendu effrayant. Ses vêtements sont déchirés, et ses cheveux blonds, presque blancs, sont hirsutes sur sa tête. Il est pâle comme les draps d'une religieuse. Des cernes bleu foncé lui soulignent les yeux comme celles d'un panda. Le plus impressionnant, ce sont les pupilles rouge pourpre qui scintillent, exprimant une profonde détresse. Si certains doutaient de la souffrance que provoque la fièvre de la soif, ce n'est plus le cas. Il me ferait presque pitié. Il se traîne dans le bois en évitant avec soin de rencontrer le soleil. Il faut dire que, dans son état, il risque bien plus qu'un coup de chaleur. Alors qu'il s'approche d'un vieux chêne, il tombe à genoux dans une complainte ressemblant au désespoir. Il pose sa tête contre le tronc d'arbre et murmure :

— Pourvu que tout soit prêt ! Maître, je t'en supplie. Je ne survivrai pas à Carmilla.

Il appuie alors sur une sorte de nœud dans les racines, provoquant des grincements d'outre-tombe. Une porte sortant de la terre apparaît. Le loquet tourne doucement, puis s'ouvre sur une femme d'une beauté incommensurable. Ses longs cheveux bruns descendent en cascade jusqu'aux reins. Ils sont attachés dans une tresse complexe où des perles sont prises dans les mèches. Ses yeux d'un vert émeraude regardent Severn avec sévérité. Elle porte un rouge à lèvres noir, qui lui donne un charme hypnotique. Elle affiche un treillis sombre et un débardeur vert, révélant clairement son côté militaire. Elle assène un coup de pied à Severn, qui pousse un gémissement en roulant au sol. Elle lui lance :

— Tu n'es qu'un bon à rien. Tu n'as pas su gérer treize personnes insignifiantes. Le maître n'est pas content.

Severn gémit, mais il n'a pas le temps de se remettre de tout ça. La porte se dématérialise dans un bruit sourd, alors qu'une autre émerge. Un homme blond surgit de l'autre côté. Il a la musculature d'un dieu grec et le regard tout aussi mauvais que sa comparse. Son sourire suffisant apparaît, lorsqu'il pose les yeux sur le corps de Severn, toujours mal en point. Il a une hache dans le dos qui ferait pâlir n'importe quel bûcheron. Il rit à gorge déployée avant de le soulever par les cheveux. Il lui dit :

— Alors, on meurt de faim ?

— Carmilla m'a saigné pour que j'entre en fièvre de la soif.

En entendant ce nom, la femme crache au sol et sort un chapelet d'injures que nous ne pouvons diffuser. L'homme, quant à lui, dépose sans ménagement Severn contre le tronc de l'arbre, quand un bruit sourd retentit. Une porte apparaît à demi. Elle semble bloquée par un enchantement, et la personne derrière n'est pas en mesure de l'ouvrir. Elle pousse un cri de rage et de frustration et explose la poignée pour forcer l'ouverture. Elle tire par le bras un homme tout droit sorti d'un livre. Il est blond et porte une tresse plaquée sur le dessus de la tête, qui lui descend au milieu du dos. Les côtés de son crâne sont rasés à blanc. Ses yeux scintillent d'une lueur bleutée. Sa barbe est tressée avec des perles noires gravées de runes, et un sourire carnassier émane de lui. Clairement, nous avons l'impression de voir trois personnages historiques sortir de nulle part. Si les origines vikings de MacGregor sont une énigme, elles viennent d'être résolues. Il regarde ses deux comparses et dit :

— Tenez-vous, tous les deux ! Nous sommes filmés, et je me dois de me racheter une conduite.

Il éclate de rire avant de se pencher sur Severn et de le renifler comme le ferait un prédateur avec sa future proie. Il lui lance :

— C'est Carmilla qui t'a infligé ça !

— Oui…

— Ce n'était pas une question ! Elle a toujours eu des réactions disproportionnées. Angel, je t'avertis, je la veux vivante. Au début, tout du moins.

— OK, patron, répond la jeune femme.

— Nous ne serons que trois ; je ne sais pas par quel artifice les fées ont tué la sorcière qui nous aidait à venir. C'est pour ça que j'ai failli rester bloqué entre les deux mondes. Maintenant, nous savons quel peuple je ferai souffrir dans les prochaines centaines d'années.

Il observe le paysage et, comme s'il avait une vision, il déclare avec un sourire malveillant :

— Nous vendrons leur sang aux vampires comme les dealers de méthamphétamine à leurs clients. Ils me paieront cet affront.

Les deux autres acquiescent, alors que Severn gémit sous la douleur. MacGregor lève les yeux au ciel et lui lance :

— Je suppose que tu meurs de faim, tu as senti la poche de sang ! Tu n'as qu'à te nourrir.

— J'ai bu le sang d'une sorcière des eaux, et je ne veux pas perdre son pouvoir. Ils ont un sorcier de feu puissant sur le camp. Je sais que je suis plus fort la nuit, quand la fièvre me transcende.

— Ridicule, lui lance Angel, avant de tendre son bras à Severn ! Tu n'as qu'à déguster mon sang, il ne devrait pas enlever les pouvoirs de la sorcière des eaux.

Il lui attrape le poignet, comme s'il s'agissait d'une pomme, et croque dans les veines du bras. Le bruit de succion devient assourdissant. On dirait qu'il mange une pêche trop mûre et qu'il aspire le jus qui en sort. Angel ne sourcille pas et lui caresse la tête comme une mère le ferait en nourrissant son petit. Après plusieurs minutes écœurantes, Severn reprend sa respiration, le visage couvert de sang. Il se lèche les babines et remercie la jeune femme. Elle lui sourit et lui lance avec plein de malice :

— Maintenant, tu m'appartiens ! Ne l'oublie pas.

Elle l'embrasse sur la joue, mais Severn n'en a que faire ; il se redresse et, d'un regard déterminé, il leur dit :

— Le camp est là-bas !

Puis il s'engage pour le rejoindre. Le rire de MacGregor retentit devant l'attitude de Severn. Il lui lance :

— Tout doux, bijou ! Je désire m'amuser. Je souhaite lire la peur dans leurs yeux, je veux qu'ils se disent que la mort est bien plus tendre que mon châtiment. Je ne vais pas commettre un massacre sans me divertir. Severn, tu me déçois. Ces centaines d'années passées près de Carmilla t'ont ramolli et rendu bien fade. Allons établir notre camp, j'ai vu une plage d'une beauté à couper le souffle.

MacGregor s'engage sur un sentier qui descend vers une plage éloignée de nos candidats. Grégoire le suit. Severn marque un temps d'hésitation, mais Angel lui prend la main et lui murmure :

— Allez ! On va bien s'amuser ! Je te promets que l'autre salope va payer ! Et puis, tu es mien maintenant…

Nom d'une punaise enragée, je suis encore sous le choc ! Pas vous ? Mais nos trois vampires sont d'une beauté parfaite. Je vois déjà la ménagère souhaiter devenir madame MacGregor dans ses rêves les plus… Par contre, je dois dire qu'il me glace le sang. Je tiens à rassurer toutes les fées : quoi qu'il se passe, MacGregor est coincé sur l'île. Nous ne craignons rien de lui. Notre magie l'a condamné à rester là-bas. S'il venait à gagner face aux candidats, il n'aurait aucune chance de sortir. Nous avons fait appel au sort des portails des damnés. En effet, s'il tentait de s'évader, il rejoindrait le bout de l'île. Est-ce que les autres candidats subiront le même sort ? Bien sûr que non ! Les autres ne sont pas un danger pour nous ! Est-ce juste ? Je ne sais pas. À vrai dire, on s'en fiche. C'est lui qui a forcé la porte pour entrer sur l'île… Et puis, il nous a menacés. Vous connaissez la musique, les amis… la suite au prochain numéro…

Épisode 2

Judith Mikelson

« Bonjour à toutes et à tous ! C'est un plaisir de vous retrouver pour vivre la suite des aventures de nos candidats. Alors, que pensez-vous des petits nouveaux ? On m'a souvent dit que beauté rime avec cruauté ! Et mon Dieu, qu'ils ont l'air féroces sous leurs airs de Viking ! Nos nouvelles recrues vont apporter du piquant à cette aventure… Plus sérieusement, je ne donne pas cher de nos amis sur le camp. Je ne veux pas être pessimiste, mais le peu d'espoir a fondu comme neige au soleil. Ils n'ont pas un vampire surpuissant, mais quatre. On va se régaler…

Ne faites pas les timorés, nous continuons une tradition datant des Romains. Les gladiateurs étaient tués pour le plus grand plaisir des spectateurs. Alors, ne boudez pas votre plaisir ! Divertissez-vous ! Le lion MacGregor est entré dans l'arène, accompagné de ses combattants. Que vont faire nos participants ? Allez, place à l'épisode… »

Épisode 2

Nous ne perdons pas une miette de notre trio infernal. Alors que MacGregor rejoint une plage assez éloignée de nos candidats, Severn ne peut s'empêcher de ronger son frein. Son visage est marqué par la contrariété, ce qui n'échappe pas à Angel.

— Qu'est-ce que tu as ? On dirait qu'on vient de te voler ta liberté ! Ah oui, je l'ai fait !

Elle regarde Severn et éclate de rire en le montrant du doigt. Elle s'approche de lui, prend son visage délicatement avec sa main pour l'obliger à la fixer. La colère se transforme en peur profonde pour Severn, mais il ne lutte pas ; il sait qu'il en est incapable. Angel reprend avec un air méchant :

— De toute manière, Carmilla a juste réussi à avancer notre plan. Nous t'aurions saigné à blanc avant de te faire boire mon sang. Tu penses réellement qu'on te faisait confiance après toutes ces années passées avec l'autre garce ? Maintenant que tu t'es abreuvé de mon sang, tu m'appartiens et tu ne pourras rien réaliser sans mon accord. D'ailleurs, porte-moi, j'en ai marre de marcher.

Severn serre les dents, mais ne peut s'empêcher de se tourner alors que la vampire se jette sur son dos. Il attrape ses jambes et avance en direction de MacGregor, qui semble en randonnée sur une île touristique. Angel pousse un « yee-haw ! » de cow-boy, avant de donner des coups de pied dans les jambes de Severn qui accélère le pas. Elle se met à rire comme les méchantes dans les lycées américains.

Pauvre Severn, il est la cible de cette Angel et je crains fort que MacGregor n'ait plus aucune confiance en lui. Il va devoir montrer patte blanche pour reconquérir le cœur de son maître. En attendant, il est le jouet préféré de la vampire brune. Il me ferait presque de la peine. Pas vous ? Mais non, vous adorez regarder ça ! Quoi de mieux que de voir le méchant devenir le dindon de la farce ? Alors régalez-vous, car ce n'est que le début… Trêve de bavardages, il est déjà temps de retrouver nos candidats, et l'ambiance est beaucoup moins à la fête. Gabriel est toujours perché sur son tronc, tandis que Carmilla est sortie du camp. Il ne peut s'empêcher de la regarder, et je peux vous dire que ses yeux ne sont pas ceux d'une franche camaraderie, si vous voyez ce que je veux dire. Clairement, le loup aimerait batifoler sur la plage avec notre reine vampire… D'ailleurs, nous ne sommes pas les seuls à nous en rendre compte. Ethan lui murmure :

— Cours rejoindre ta belle ! Je pense qu'elle a besoin d'un peu de réconfort.

Il n'a pour seule réponse qu'un grognement sourd. Ethan, le loup le plus faible de la meute, courbe l'échine, mais son regard rieur en dit long.

Gabriel saute du tronc et se dirige vers Carmilla. La moitié du camp se retient de pouffer de rire, mais lorsqu'il est derrière les balustrades, je peux vous dire que les éclats retentissent. Au moins, cela a diverti le groupe l'espace d'un instant. D'ailleurs, l'alpha revient sur ses pas et ordonne à tous les candidats :

— Personne ne bouge d'ici ! Compris ?

Tous acquiescent, mais Bibu le gobelin ne peut s'empêcher de dire :

— Mais…

— Pas de mais ! Ayden et Lucas, vous êtes responsables, et si vous devez ficeler le gobelin comme un rôti pour qu'il ne bouge pas d'ici, vous le faites.

— Et je le bâillonnerai moi-même, lance Thya.

Il lui sourit et court rejoindre Carmilla.

Elle s'est assise sur le sable et regarde l'océan qui lui envoie ses plus belles vagues. Gabriel s'installe à ses côtés et la prend dans ses bras. Elle pose sa tête sur son épaule et ils restent assis là pendant de longues minutes, silencieux. Je suis désolée de tuer cette scène, certes romantique, mais je ne peux m'empêcher d'imaginer l'alpha des alphas, le grand patron des loups, en train d'expulser sa gorgée de café (c'est son nectar favori, je le tiens d'une source sûre) par les narines devant cette scène. Alors qu'ils sont filmés, les deux candidats ne semblent pas gênés de montrer leur rapprochement. Pourtant, la loi interdit cela entre espèces différentes dans presque toutes les communautés. Sauf chez les vampires, ils n'ont pas vraiment de lois ou de gouvernement, puisque chaque essaim a ses propres règles. Il est vrai que nos pauvres candidats sont persuadés de mourir et de ne jamais quitter l'île… Revenons à nos tourtereaux.

Gabriel brise le silence.

— Tu ne devrais pas t'éloigner du camp sans protection. Maintenant, c'est dangereux.

— Ils ne nous attaqueront pas aujourd'hui ! Il va jouer avec nous comme un chat avec des souris. Il aime torturer, manipuler et nous rendre fous. C'est sa manière à lui de tromper l'ennui de l'immortalité. Bibu et Derek n'ont pas ton ignorance. Ils le connaissent et savent de quoi il est capable.

— Nous sommes dix et ils ne sont que quatre.

— Même s'il était seul, cela ne changerait rien. Nous serions des centaines, ce serait pareil. Je pensais que nous aurions plus de temps.

Une question me turlupine… parle-t-elle de la préparation contre MacGregor ou de sa relation avec Gabriel ? D'ailleurs, lui-même semble hésiter. Il finit par lui dire :

— Si c'est un chat, nous deviendrons des chiens. Il faut nous défendre plutôt que baisser les bras, Cam.

— Je vendrai chèrement ma peau, je t'en fais la promesse, jeune loup.

Pour clore la discussion, elle se tourne et l'embrasse. Cette fois-ci, c'est officiel, l'alpha des alphas a fait une crise cardiaque. En même temps, cela reste entre nous, mais j'ai entendu dire que ses petits-enfants étaient loin d'être irréprochables. Pour les plus romantiques, je vous laisse apprécier ce baiser fougueux sur la plage avec pour seul témoin l'océan – et des millions de téléspectateurs…

Soudain, leurs élans, qui se dirigent doucement vers une scène torride, sont abrégés. Carmilla se fige puis attrape Gabriel. Ils réapparaissent instantanément dans le camp. Il semblerait que ce soit la belle qui ait transporté la bête de toute urgence dans la sécurité de la tanière. Mais pourquoi ? Nous le découvrirons dans quelques instants.

Retrouvons nos chers vampires à la plage. Les humains ont leur Martine, et nous, nous avons la team MacGregor. Clairement, ce sont les vacances et rien ne saurait dire le contraire. Ils ont déjà installé un abri des plus spacieux. C'est fou ce que l'on peut faire avec l'hypervitesse et la puissance. Angel se fait bronzer sur la plage, tandis que Severn l'évente avec une feuille de palmier. Il est tombé bien bas, si vous voulez mon avis. Je suis sûr qu'il regrette la gentillesse et la bienveillance de Carmilla. Grégoire est en train de couper du bois pour alimenter le feu. Ne rêvez pas, ils n'ont pas frotté deux bouts de bois pendant des heures. Vous pensiez vraiment que la team MacGregor respecterait les règles ? Ils avaient un briquet ! Évidemment !

MacGregor regarde l'océan avant de se tourner vers Angel et lui dire :

— Je trouve que nos vacances centenaires commencent plutôt bien.

— Oui, après, nous avons moins de gens à tuer qu'à l'époque, mais je m'en contenterai. Surtout si tu me laisses Carmilla.

— Doucement, ma belle !

Il s'avance vers elle et lui caresse la joue avant d'ajouter :

— Nous avons le temps, je te promets qu'elle sera tout à toi. Mais tu devras te montrer patiente. Et puis, tu as Severn !

Il s'approche de lui et plante ses yeux dans les siens.

— Je vais devoir vérifier ta loyauté. En attendant, tu es la chose de madame.

Severn ne dit rien, mais son teint livide parle pour lui. MacGregor lui rit au visage et reprend d'un ton froid et sec :

— Je me demande ce qui se passe dans ta tête. Tu es avec elle depuis des centaines d'années. Qui me prouve que tu ne lui es pas loyal ? Tu pensais que tes années de sacrifices te mettraient en haut de la hiérarchie ? Tu vas devoir gravir les échelons pour récupérer ton poste de bras droit.

Severn s'effondre au sol sous le pouvoir de MacGregor. Le rire horrible d'Angel résonne dans toute la jungle. Elle tend alors son cou vers Severn et lui ordonne :

— Bois !

Le jeune homme tente de résister mais, comme un enfant à qui l'on agiterait un bonbon, elle lui hurle :

— Bois !

Il se précipite sur elle et plante ses crocs dans la jugulaire de la vampire qui rit aux éclats. Elle lui caresse la tête comme une femme le ferait avec son amant. MacGregor regarde la scène d'un œil mauvais et avec un sourire carnassier.

— Ne sois pas trop horrible avec lui ! Il pourrait redevenir ton chef !

— Et je me soumettrais à lui sans la moindre hésitation.

— Ton côté coquin me surprendra toujours, ma petite Angel ! Je reviens, il est temps que je rende une visite à nos invités.

— Est-ce que tu désires que je t'accompagne, patron, pendant qu'elle finit ses cochonneries ? demande Grégoire.

— Non, je souhaite que tu explores l'autre partie de l'île. Je ne voudrais pas de mauvaises surprises.

Il acquiesce, alors que le rire d'Angel retentit devant sa boutade. Elle se sert une poche de sang, la sirote tandis que Severn est toujours accroché à son cou, et aspire goulûment les gouttes qui sortent de sa gorge. Mon côté diabolique a décidé de ne pas vous épargner cette scène horrible. Le bruit de succion et le sang qui coule à la commissure des lèvres de Severn sont tout simplement atroces. Je ne peux supporter cette scène davantage et je vous propose de suivre MacGregor. Il est temps que nos candidats rencontrent le vrai méchant loup de cette aventure. Vous ne pensez pas ?

MacGregor hume l'air à la recherche d'une piste. L'odorat des vampires est développé, mais moins que celui des loups, et pourtant, il ne tarde pas à afficher son plus beau sourire. Il murmure :

— Voilà ! Tu ne pourras jamais te cacher, Carmilla. Ton odeur est comme un aimant pour moi. J'ai tellement hâte de te retrouver pour recommencer notre petit jeu.

En moins de temps qu'il ne faut pour le dire, il se trouve déjà à l'orée du camp. Il observe une scène qui ne semble pas vraiment lui plaire. Eh oui, on a beau être le plus vieux vampire du continent, il n'empêche que celui qui va à la chasse perd sa place. Il voit très clairement un louveteau alpha enlacer sa Carmilla en regardant l'horizon sur une plage paradisiaque. Il n'a pas l'air contrarié, mais c'est difficile de lire sur les expressions non verbales des vampires, vous ne trouvez pas ? Ils sont tellement dans le contrôle, constamment.

Carmilla a dû l'entendre car, en moins d'une seconde, Gabriel est ramené au camp. Le sourire qui se dessine sur le visage de MacGregor est glaçant, et je peux vous jurer que j'hésiterais avant de me mettre en travers de son chemin. Il s'avance jusqu'à être à portée de voix et de vue des candidats. Ils se sont amassés près de l'ouverture pour l'observer. MacGregor lève les mains en guise de paix, mais ne peut s'empêcher de jouer avec leurs nerfs, et les nôtres, soit dit en passant.

— Mes petits cochons, je suis venu en paix ! Non, je ne vais pas souffler sur votre belle construction, mais je ne vous garantis pas qu'elle résistera à mes assauts. Vous êtes si mignons tous devant cette porte à me regarder. Mais par qui vais-je commencer ? Ne bougez plus ! Am stram gram, pic et pic et colégram.

Tout en chantant, il pointe son doigt en passant d'un candidat à l'autre à chaque syllabe. J'en ai les petits cheveux de la nuque qui se dressent devant cette scène terrifiante.

Il s'arrête sur Carmilla, puis marque un temps d'arrêt. Il a beau être à une trentaine de mètres, je peux vous garantir que personne ne se sent en sécurité. Même les loups, qui ont une tendance à grogner, se tiennent à carreau. Ils observent leur bourreau qui s'adonne à un jeu psychologique. La confiance qui émane du vampire est troublante. Je ne peux vous assurer qui gagnera à la fin, mais je doute qu'il y ait beaucoup de survivants sur l'île.

MacGregor s'adresse à Carmilla en lui hurlant :

— Je suis venu te chercher ! Je te laisse une dernière chance de te soumettre à moi. J'épargnerai peut-être tes amis.

Il marque un temps d'arrêt puis, avec le sourire du chasseur qui a trouvé sa proie, il reprend :

— Non ! Ils mourront tous ! Simplement car tu as osé me défier. Je t'ai tout donné, Carmilla, et tu m'as craché au visage. Je te jure que tu redeviendras mienne, mais je doute que cela te plaise.

Mais que fait-il ? Il est devenu complètement fou ! Je n'en crois pas mes yeux. Vous mourez d'envie de connaître la suite ? Eh bien, je vais vous le dire, mais pas maintenant, pas dans cet épisode. Comme MacGregor, j'aime jouer avec vous. J'ai conscience que notre relation peut être tendue, mais vous ne pouvez pas vous passer de moi. Je le sais, car je vous retrouve chaque fois devant votre écran en attendant que je vous montre les derniers événements. Est-ce que nous sommes interdépendants ? Clairement, sans vous, je n'existe pas, mais sans moi, est-ce que… Je vous laisse méditer là-dessus. Vous connaissez la rengaine ? La suite au prochain numéro.

Épisode 3

Judith Mikelson

« Quelle joie de vous retrouver ! Ah ! je sais que vous m'attendez comme les saisonniers attendent les touristes. Vous mourez d'envie de découvrir ce qui se passe. Qui ose se dresser devant la confiance de MacGregor ? Ah ! vous vous en doutez au fond de vous. Mais vous avez besoin de mon approbation pour y croire ! C'est fou l'influence que je peux avoir dans votre vie. Je plaisante. Ne vous vexez pas, mes chers téléspectateurs, je vais abréger votre suspense comme le ferait un bourreau avec sa victime. Place à l'épisode ! »

Épisode 3

Gabriel s'est avancé d'au moins deux mètres. Évidemment, cela ne va pas être Bibu ou Derek qui, je vous le rappelle, ont le courage d'une fillette de dix ans. Quoique j'aie connu des fillettes bien plus courageuses qu'eux. Reprenons ! Gabriel s'est avancé et Ayden a commencé à se placer sur sa droite, mais l'ordre de son alpha est tombé comme un couperet.

— Restez à l'intérieur du camp ! Quoi qu'il arrive ! Est-ce clair ?

Tout le monde hoche la tête, même Carmilla ne bronche pas, c'est vous dire. MacGregor sourit. Ses dents sont d'une blancheur impeccable. S'il n'était pas aussi méchant, je peux vous garantir qu'il aurait une place de choix dans les pubs de dentifrice. Trêve de plaisanterie, je me trouve très dissipée aujourd'hui. Mais la tension est insoutenable. Est-ce que Gabriel sera la première victime de MacGregor ? Le vampire ne bouge pas ; il lui demande :

— C'est toi le petit louveteau qui se love dans ses bras, n'est-ce pas ?

— Tu ne m'effraies pas. Tu crois être le méchant loup de l'histoire ? Moi, j'en suis un vrai, et je te garantis que tu vas crever sur cette île.

— Mais il est mignon ! Il est à peine sorti des pattes de son père qu'il se prend pour un caïd. Je t'annonce officiellement que tu vas voir ta meute mourir. Je vais les tuer les uns après les autres. Tu vas me supplier d'abréger tes souffrances quand j'aurai fini de jouer avec toi. Mais je te garderai peut-être en vie. J'ai toujours rêvé d'avoir un loup comme animal de compagnie. À moins que je fasse de toi ma descente de lit, ce même lit que Carmilla va s'empresser de retrouver dès qu'elle se sera lassée de toi.

Gabriel tente une réponse, mais c'est comme si aucun son ne sortait de sa bouche. MacGregor sourit avant de dire :

— Ta réponse m'importe peu ! Tu viens de me donner de quoi me divertir, louveteau. À plus tard, je vais me détendre.

Il disparaît en une fraction de seconde. Gabriel se tient la gorge. Qu'est-ce qui se passe ? Il semblerait que MacGregor ait des pouvoirs que nous ne connaissons pas. À moins que ce ne soit que psychologique, seul l'avenir nous le dira. Carmilla s'avance vers Gabriel et lui tape le bras avec force.

— Tu es inconscient de le provoquer de la sorte ! Tu viens de signer ton arrêt de mort. Il va s'en prendre à chaque membre de ta meute.

— Ne t'en fais pas ! Je sais ce que je fais. Pendant qu'il est sur moi et ma meute, il ne regarde pas les sorciers, Thya, June et Bibu.

Derek s'avance vers lui, rouge de colère.

— Tu nous penses faibles. Je n'ai pas besoin de toi pour me défendre. Je connais mieux l'ennemi que toi. Si je suis resté en arrière, c'est…

— Arrête ! dit calmement Gabriel. Laisse-moi le temps de finir mon explication.

Le silence retombe sur le camp, mais les têtes sont graves. On peut lire la peur dans les yeux de tout le monde. Gabriel pousse un soupir et reprend :

— Je veux qu'il ait son attention sur nous. Il connaît le pouvoir des loups, il connaît nos réactions, car nous sommes régis par notre instinct. En l'occurrence, ce n'est pas votre cas. Pendant qu'il jouera, comme il dit, avec nous, vous allez pouvoir l'attaquer sans qu'il ose imaginer que vous puissiez le faire.

Derek le regarde avec insistance, si je ne le connaissais pas, je pourrais penser qu'il désire le défier.

Le sorcier finit par baisser les yeux, montrant clairement qu'il est prêt à rejoindre la meute et suivre les ordres de Gabriel. Allons-nous faire face à la première union sincère de tous les peuples ? June a peut-être réussi son pari fou ! Derek tend une main à Gabriel, qui s'empresse de la serrer. Le sorcier de feu lui dit :

— Je ferai ce que tu me demandes ! Tu as toute ma confiance, car j'ai conscience du sacrifice dont tu fais preuve.

Gabriel sourit et hoche la tête. Mais quel sacrifice, me direz-vous ? Celui de mettre sa meute en danger et sur la première ligne de front. MacGregor va vouloir faire souffrir l'alpha, et quoi de plus simple que d'exterminer sa meute lentement. C'est comme si on arrachait les pattes, puis les ailes à une mouche. Ce vampire est d'une cruauté sans nom. Tiens, si nous allions voir ce qui se passe de son côté.

MacGregor s'installe à côté d'Angel. Severn a repris son rôle d'éventail. Il agite une feuille de palmier, tandis que la jeune femme savoure un liquide rouge dans une noix de coco. Elle s'est posée sur un tronc d'arbre qui épouse parfaitement ses formes. D'ailleurs, je doute que cette usure soit naturelle. MacGregor lui prend délicatement la coco qu'elle a dans la main et déguste une gorgée de ce nectar épais.

— Je ne sais pas ce que tu trouves au sang O négatif des humains. Il est rare, mais le goût ne vaut pas celui des B positifs !

— C'est parce qu'il est rare qu'il est divin. N'est-ce pas, Severn ?

Le pauvre est obligé d'acquiescer tout en agitant sa feuille avec lenteur. Angel rit encore de son rire de pintade. Je m'excuse, mais je n'ai pas d'autres mots qui me viennent à l'esprit. Vous voyez ces filles qui rigolent bien fort pour se faire remarquer lors des soirées ? Qui gesticulent les mains et font de grands mouvements pour attirer l'attention ? Je suis sûre que vous entendez ce rire faux et disgracieux au creux de vos oreilles. Le rire de cette vampire ne vaut pas mieux. Elle a beau essayer de jouer la personne classe et distinguée, elle a tout d'une fille vulgaire. Excusez-moi, je me rends compte que je ne suis pas impartiale, mais elle m'agace avec son air supérieur. L'avantage chez les fées, c'est que nous ne retrouvons pas forcément ce genre de personnage. Ah, je vous vois sourire en pensant à Jesmi. Elle n'est pas hautaine, juste énervante et madame je-sais-tout. Bref ! Continuons à les écouter, car MacGregor est sur le point de faire une révélation qui pourrait bien vous surprendre. D'ailleurs, Grégoire se rapproche sous l'ordre de son maître.

— Oui, patron !

— Assieds-toi ! Prenons le temps de vivre. Je suis allé rendre une petite visite à nos proies. Elles se sont murées dans un joli petit enclos, comme les braves moutons qu'elles sont.

Ils explosent de rire, c'est gênant, mais il n'a pas vraiment tort. Il reprend :

— Nous allons patienter encore un peu avant de passer à l'action, je vais leur laisser le temps d'être heureux de survivre avec la peur au ventre. De toute manière, j'ai quelqu'un qui bosse pour moi là-bas. Et le pire, c'est qu'elle ne le sait même pas.

La surprise marque le visage de Severn. Il ouvre la bouche puis se ravise avant de se lancer pour de bon :

— Bibu nous a trahis.

— Tu penses vraiment que je parle de cet être inférieur ? Il n'est rien d'autre qu'un chihuahua mal dressé. D'ailleurs, tu as très mal joué, Severn. C'est en partie pour ça que je laisse Angel prendre le pouvoir sur toi. Mais je doute que la sanction soit à la hauteur de ton échec cuisant.

Severn grimace, mais il reste bien droit à agiter cette pauvre feuille de palmier. Il se prétendait le bras droit de MacGregor, il est plutôt son esclave. Et je crains que la situation ne s'améliore pas pour lui. Il regarde Angel, ses yeux brillent d'un éclat machiavélique. Elle se tapote les mains à l'annonce de son chef qui lui dit :

— C'est vrai que je t'ai limitée dans ton emprise sur Severn, mais je te donne carte blanche. Tu es si parfaite depuis toutes ces années. Je dois dire que tu me surprends par tes idées originales. C'est ta récompense.

Il lui caresse le visage, tandis qu'elle fixe Severn avec un regard qui ferait fuir n'importe qui. Le pauvre Severn a servi MacGregor en se sacrifiant pour espionner son ennemi pendant des décennies, et la seule récompense qu'il obtient, c'est de devenir la proie de cette femme abjecte. Il n'en faut pas plus à Angel, qui lui saute sur le dos en lui ordonnant d'aller sur la plage.

Mais attendez ! Une information semble nous avoir complètement échappé. MacGregor aurait une autre taupe au sein du groupe. Si nous résumons, Artémis a été hypnotisée, Bibu pris en otage avec sa sœur. Mais qui serait cette taupe que même Severn ne connaît pas ? Je n'ai aucune idée de qui cela peut bien être. Mais je rouvre officiellement le carnet d'enquêteurs. D'ailleurs, allons les rejoindre au camp. Il est temps de prendre la température suite à la visite de MacGregor.

Je ne sais pas vous, mais je les vois tous comme des traîtres. Enfin, pas vraiment ! Ayden ne peut être avec MacGregor, je vous rappelle que sa mission depuis presque une centaine d'années est de détruire son peuple. Je doute qu'il se trahisse lui-même. Carmilla est pleine de rancune ; c'est l'une des premières victimes de MacGregor et elle se bat clairement pour son descendant. Mais pour les autres, ils pourraient tous être suspects. Vous ne trouvez pas ?

Après la visite de MacGregor, je peux vous dire que le camp est en ébullition. Tout le monde s'agite sans vraiment se montrer utile. C'est simple, ils pourraient produire plus d'électricité qu'une éolienne tellement ils brassent de l'air. Soudain, Ayden siffle, ce qui fige tout le monde.

— Je vais me transformer en aigle et survoler l'île pour voir où ils sont !

— Hors de question ! hurle Gabriel.

Étrange de sa part, vous ne trouvez pas ? Est-ce qu'il ne voudrait pas que son maître soit espionné ? Et si notre petit alpha était le meilleur espion ? Bien sûr que non ! Les loups ne sont pas réputés pour être de fins stratèges. Ils foncent dans le tas avec leurs grosses pattes et mettent de la boue sur les tapis. Clairement, ce n'est pas la discrétion qui les étouffe. Et pour mentir, ils ne sont pas bons. Regardez Isabella, il ne lui a fallu que quelques jours pour révéler son jeu. Et si les loups étaient du côté de MacGregor, ils n'auraient pas exécuté la belle. Je vais quand même avoir un œil sur Lucas.

Après tout, si June ne s'était pas imposée à lui… Je dis ça, je ne dis rien.

Ayden scrute son alpha, incrédule. Carmilla se tient droite comme un *i* à ses côtés. On sait très bien que l'ordre vient de la belle. Le métamorphe questionne Gabriel :

— Donne-moi une bonne raison de ne pas survoler leur camp !

Le pauvre Gabriel regarde Carmilla et hausse les épaules. C'est elle qui reprend :

— C'est beaucoup trop risqué.

— Ils ne m'atteindront pas dans les airs, je n'ai encore jamais vu un vampire voler.

— Il leur suffit de te jeter une lance. Elle peut parcourir des centaines de mètres et notre visée est chirurgicale. Je ne veux pas que tu prennes ce risque.

— Ils ne le feront pas et tu le sais très bien, Carmilla. Je vais y aller.

Gabriel hoche la tête pour donner son accord. Un « pop ! » retentit et l'aigle s'envole. Mais l'alpha ne va pas s'en tirer à si bon compte. La reine vampire lui hurle :

— S'il ne revient pas, MacGregor sera le dernier de tes soucis.

— Arrête, Carmilla ! Je…

Elle s'éloigne de lui et rejoint Bibu et Thya qui semblent se disputer. Le gobelin lui ordonne de cesser de manier des objets coupants près de son puits. Il suffit d'un trou dans la voile du parachute, pour que l'eau soit absorbée par le sable. La jeune femme l'ignore complètement et s'attelle à nettoyer tout ce qui est tranchant.

— Qu'est-ce qui ne va pas ? lui demande Carmilla.

— Je ne sais pas, elle fait tout le contraire de ce qu'on lui dit ! Elle a une attitude détestable et nous prend de haut. Cela ne lui ressemble pas.

— Nous ne réagissons pas tous de la même manière face à la mort. C'est peut-être sa manière à elle de gérer, explique Carmilla.

Tout en questionnant Bibu, elle reprend les objets tranchants des mains de Thya qui ne fait rien et qui s'éloigne vers le feu. Les loups, quant à eux, régissent la défense du camp avec des rondes en marche militaire. Lucas ne parle plus depuis la mort de sa sœur et se contente de suivre les ordres bêtement. Le parfait petit soldat, me direz-vous, mais June veille au grain. Elle s'assure que son prince charmant soit bien traité par son alpha. Pour Ethan, les choses semblent plus évidentes et il s'impose comme un membre essentiel au camp. Sa nonchalance lui permet d'apaiser les autres candidats lorsque la panique se fait sentir. Lévana, quant à elle, gère les stocks de nourriture et continue de fumer la viande. June lui apporte bien sûr son aide. Les deux jeunes femmes ont créé des liens d'amitié puissants.

Il ne manque qu'une personne à l'appel. Derek ! Il est introuvable, enfin il est hors de nos champs de caméras. Et si... eh oui, j'ose le dire, il pourrait être le traître parfait. Sa famille travaille avec MacGregor, et des accords sont passés. Artémis est morte des mains de Severn. Celui-là même qui ignore l'identité de l'autre taupe. Ce serait un simple accident. Souvenez-vous de ses premières heures sur le camp, il était détestable, ce qui lui a permis de se rapprocher des vampires ; puis soudain, il a avoué son aversion pour le plus vieux vampire du monde, et les langues se sont déliées. Si j'étais un espion, je n'aurais pas fait différemment. Gabriel se confie à lui, écoute ses conseils, et Carmilla lui fait confiance. Les autres… ce ne sont que des pions qui n'ont aucun pouvoir décisionnaire et qui suivent ces deux-là. Notez-le, les amis ! Je vous donne de précieux indices ! Ou pas ! Tout comme vous, je suis incapable de prédire la suite, et surtout, je ne l'ai pas vue… Il est déjà temps pour nous de nous quitter… La suite au prochain épisode…

Épisode 4

Judith Mikelson

« Bonjour, à toutes et à tous ! Alors, les potins ont dû aller bon train à la machine à café ? Mais qui est ce traître qui travaille pour MacGregor ? Honnêtement, je soupçonne tout le monde, même les puces de sable qui se sont attaquées à nos candidats la nuit. Après tout, elles aussi sucent du sang. Je plaisante bien sûr ! Quoique, avec MacGregor, tout est possible, vous ne croyez pas ? En attendant, je vous propose de retrouver nos candidats parqués comme des moutons prêts à se faire dévorer. C'est fou, ils ont construit leur propre enclos. Ce n'est pas un signe d'intelligence, si vous voulez mon avis ! Allez, rejoignons-les. »

Épisode 4

Derek réapparaît à l'entrée du camp avec un énorme tronc de bois flotté. Gabriel lui demande :

— Mais tu étais passé où ? Tu ne dois pas quitter le camp sans escorte.

— Je suis d'accord avec Carmilla, je ne pense pas qu'ils attaqueront aujourd'hui. Je suis allé chercher du bois, je crains qu'il en manque si nous restons plusieurs jours assiégés. Et si on pouvait éviter de cramer le bois des murs qui nous protègent…

— Bien joué, mais avertis-nous la prochaine fois, lui dit Gabriel en l'aidant à rapporter sa trouvaille vers la réserve de bois.

Lévana se lève et court vers Gabriel et Derek avec un joli sourire sur les lèvres.

— Les gars, j'ai eu une idée pour renforcer les murs. Je peux créer des lianes tout autour des poteaux pour qu'ils ne forment qu'un seul bloc. Ainsi, ils ne pourront pas les faire tomber. Qu'est-ce que vous en pensez ?

— J'ai la même crainte que toi. Il suffirait qu'ils insistent sur quatre rondins pour qu'il y ait une brèche dans nos défenses, et nous pourrions nous retrouver en difficulté, explique Gabriel.

— Cela demande beaucoup d'énergie, Lévana. Tu en auras suffisamment ? Nous sommes ici depuis de nombreux jours.

— On mange à notre faim, je peux le faire, je te dis.

Elle coupe court à la conversation et se dirige vers l'un des murs. Elle pose ses mains au sol et respire profondément. Sur près d'un mètre, des lianes s'accrochent aux troncs et s'entrelacent, elles s'enroulent et se promènent sur le mur de palissades de troncs, entamant une course entre elles. De nombreuses feuilles se déplient comme des roses en train d'éclore, le spectacle est d'une beauté incroyable.

Lévana est concentrée. Son visage est tendu par l'effort, et des gouttes de sueur perlent sur son front. Soudain, Bibu lui hurle d'arrêter. Il court jusqu'à elle et lui tapote le bras. Derek l'intercepte et lui lance :

— Mais qu'est-ce qui te prend ? Tu es devenu complètement fou ! Elle renforce notre défense.

— Au lieu de vous extasier devant son exploit, tu ferais mieux de la stopper. Ces feuilles recouvrent les pieux que nous avons fixés. Elles génèrent de la mousse tout autour. Nos chers ennemis n'auront qu'à grimper à travers les troncs en s'aidant des lianes. Est-ce que vous êtes tous stupides ?

Lévana s'arrête subitement et regarde Bibu. Elle balbutie de pâles excuses avant de tomber à genoux. Elle semble complètement vidée de son énergie. Lévana a pris beaucoup de risques, facilitant l'entrée des vampires dans le camp. Avons-nous identifié notre traître ? Peut-être, mais on doit admettre que, depuis le début de l'aventure, la jeune femme ne brille pas par son intelligence. Souvenez-vous qu'elle s'est fait mordre par un serpent et qu'elle a failli mourir, elle a retenu un vampire et elle s'est épuisée, au point de ne plus pouvoir bouger. Je doute qu'elle ait l'intelligence nécessaire pour être la taupe. Est-ce qu'elle ne cacherait pas son jeu ? Après tout, elle n'a pas vraiment besoin d'énergie, si elle est protégée par MacGregor. Je vous rappelle qu'elle a été son otage pendant des années ! Est-ce que son rapprochement avec Ayden n'est pas une stratégie ? D'ailleurs, il est temps de rejoindre notre métamorphe préféré, il est sur le point de découvrir le camp de vacances de MacGregor.

L'aigle survole le camp à une hauteur vertigineuse ; je doute qu'il voie quelque chose. Enfin, ne dit-on pas que l'aigle a une vision extraordinaire ? Mais est-ce que les vampires l'ont aussi ? Nous allons très vite être fixés. MacGregor est allongé sur la plage, tandis que Severn l'est auprès de sa maîtresse Angel. Il tient toujours son avant-bras et se nourrit avidement de la jeune femme. Celle-ci sirote une poche de sang dans un bonheur presque écœurant. Grégoire manque à l'appel mais, très vite, une lance de bois se dirige vers Ayden qui, dans un mouvement aérien, esquive de justesse le projectile. Cela suffit pour que tout le monde se redresse sur ses pieds. Ayden grimpe encore plus haut, mais on entend distinctement MacGregor hurler :

— Non ! Grégoire ! Ne le tue pas ! C'est Ayden.

— Je pensais qu'il pourrait être notre repas de ce soir.

— Je le veux en vie. Ayden, tu peux t'approcher. Je ne te ferai rien. Je désire simplement discuter avec toi.

L'aigle pousse un cri. Je ne parle pas la langue des aigles, mais je peux vous garantir que cela voulait dire non. Il s'éloigne en direction du camp. Au même moment, Lévana s'écroule. Ayden entame une descente, en piqué vertigineux, et reprend sa forme humaine en une microseconde, pour se diriger au chevet de la jeune femme. Il ne se gêne pas pour bousculer Derek qui la soutenait.

— Est-ce que tu vas bien ? Qu'est-ce qu'il t'arrive ?

— J'ai voulu aider à fortifier le camp et je me suis servie un peu trop de ma magie. Je vais bien, ce n'est rien. Je vais aller manger et retrouver mes forces.

Alors qu'Ayden la soulève dans un mouvement souple pour l'emmener vers le camp, la jeune femme s'empourpre comme un colorant rouge jeté dans une pâte à gâteau. Elle lui dit :

— Laisse-moi ! Derek va m'aider, tu devrais t'habiller.

— Ne t'en fais pas, mes habits sont près du feu !

Il ne semble même pas remarquer son impolitesse. Mais je vous en prie, profitez du spectacle et n'oubliez pas, pour ceux qui ont le *stream* en direct, toutes ces images ne sont pas censurées. Il suffit de payer moins d'un euro par mois. Quoi ? Est-ce que je touche une commission sur ces ventes d'abonnement ? Cela ne vous regarde pas, mais je peux vous dire que nous ne floutons absolument rien et que cela vaut le détour, en plus des images exclusives. Est-ce que nous les verrons sur les réseaux comme Vampista ou Facegarou ? Eh bien, essayez de les trouver ! Bon courage.

Après cette petite page de pub, retrouvons Ayden, nu comme un ver. La pauvre Lévana, encore toute troublée, ne sait plus où poser les yeux et, lorsqu'il l'installe sur une souche d'arbre, elle pourrait être à un carrefour et arrêter les voitures tant elle est rouge. Profitez du spectacle, mesdames, car Ethan est déjà en train de lui jeter ses habits en lançant :

— J'espère que l'émission n'aura pas un franc succès car, avec toi, ils auront plus vu ton engin que ta tête. Tu es toujours à poil.

— Et c'est un loup qui me dit ça. Je vais peut-être devoir faire attention.

Les deux garçons explosent de rire, et Lévana garde son visage cramoisi. La récréation sera de courte durée, notre nouveau couple non officiel d'alphas, j'ai nommé Gabriel et la reine vampire Carmilla, fonce sur Ayden comme un ours sur un saumon. Vous noterez mon trait d'humour. Alors qu'Ayden enfile son tee-shirt, Carmilla l'assaille de questions. Elle oublie qu'ils n'ont pas tous l'hypervitesse, et je dois vous dire que nous ne comprenons rien. À en juger par l'expression des gens autour, je crois qu'il en est de même pour eux.

— Tu pourrais articuler ? lance Bibu en s'approchant.

En quelques secondes, nos candidats se rassemblent autour du feu, regardant Ayden qui garde le silence, comme s'il préparait un discours pour le concours des êtres surnaturels. Il ouvre enfin la bouche.

— Je n'ai pas pu les espionner, j'ai été repéré très vite et ils ont essayé de me tuer avec une lance. Carmilla, tu avais raison. J'ai réussi à l'esquiver. MacGregor a arrêté le gros balèze. Il veut me parler et ne souhaite pas ma mort. Il espère qu'on pourra trouver un terrain d'entente.

— Dis-moi que tu ne l'as pas cru ! hurle presque Carmilla.

— Je ne suis pas fou ! Je suis parti aussi vite que possible. Par contre, Severn était en train de boire le sang de la femme vampire pendant qu'elle sirotait une poche de sang. Même lorsqu'on a donné l'alerte, il n'a pas pu se dégager.

Carmilla serre les dents, ses yeux pourraient lancer des balles tellement la colère irradie de ses pupilles. Gabriel pose une main réconfortante sur son épaule. Ces deux-là seraient presque mignons. J'apprécie les groupes de soutien qui se forment pour encourager leur amour interespèce. Même si on parle plus d'attirance sexuelle ici, ne vous emballez pas trop. Cela dit, ce petit contact physique semble calmer notre reine vampire. Derek intervient, sans la moindre autorité.

— Vas-y ! On t'écoute ! On a compris qu'il se tramait quelque chose.

— Reparle-lui comme ça et je te bouffe, lance Gabriel, sans même réfléchir à l'incident diplomatique que cela pourrait engendrer.

Carmilla lui fait signe de se taire, mais c'est un peu tard. Elle reprend comme si Gabriel ne venait pas de vouloir marquer son territoire. Excusez-moi pour l'image, mais c'est clairement à cela que nous avons assisté. Comment peut-elle tolérer ça ? Pour une reine, je la trouve docile face aux loups.

— Angel doit nourrir Severn. Cela signifie qu'il est en train de gagner en puissance et en pouvoir. Vu qu'il ne boit pas le sang d'une autre créature, il garde le pouvoir d'Artémis. Mais il y a une contrainte pour lui : il est complètement à la merci de cette catin. Il ne pourra pas lui désobéir, et il va devenir surpuissant. C'est comme si elle le gonflait aux hormones. Elle fait de lui son arme.

— Tu n'as pas vraiment l'air fan du personnage, je me trompe ? demande Bibu.

— Elle a toujours voulu soumettre les autres, c'est en partie pour ça que MacGregor l'adore. Nous pouvons nous servir de l'hypnose entre vampires, mais si les deux sont très puissants, il n'y a qu'une façon d'en faire sa chose et de prendre le pouvoir sur lui : il faut le rendre affamé et l'obliger à boire son sang. C'est ce que fait Angel sur Severn. Elle pourrait exiger qu'il aille sur la lune, il s'épuiserait à essayer encore et encore pour la contenter et déguster son sang. Il a une petite chance de s'en sortir.

— Laquelle ? demande Derek.

— Il doit purger de son organisme tout le sang marqué par Angel, mais s'il le fait, il redeviendra très faible et en souffrance.

— Comme lorsque tu l'as exsanguiné.

— C'est ça. Ensuite, il devra boire du sang différent de celui d'un vampire… Il y a bien une autre solution, mais…

Carmilla porte sa main sur sa poitrine et, comme si une lumière lui revenait à l'esprit, elle se met à chercher l'endroit où le corps d'Isabella a brûlé. Nous avons encore une fois dû ralentir les images tant ses mouvements étaient rapides.

— Arrête ! hurle Gabriel.

La jeune femme se fige et se retourne. Je jurerais voir des larmes jaillir de ses yeux. Gabriel s'approche d'elle et la serre contre lui. Il lui murmure à l'oreille :

— Qu'est-ce qui t'arrive ? Je te savais proche de Severn, mais il nous a trahis. On se fiche pas mal de son sort.

La jeune femme est comme un pantin désarticulé dans les bras de l'alpha. Elle lui dit :

— J'ai donné un bijou à Isabella pour que Severn ne puisse pas l'hypnotiser. Comment ai-je pu être aussi stupide ? Je crains fort que nous soyons tous en danger, si ce n'est pire. Il faut que je le retrouve.

— On va le chercher, il ne peut pas être bien loin, lance Bibu en grattant dans le sable. Les autres font de même, mais Carmilla les arrête. Elle a le regard dans le vague et explique :

— Ce n'est pas n'importe quel bijou, c'est une partie de mon essence et de celle de MacGregor. C'est une pierre d'une noirceur incommensurable avec une lueur en son centre. La lueur, c'est sa part d'humanité qu'il a emprisonnée, et la noirceur, c'est…

Elle n'en dit pas plus et laisse planer le mystère. Ah ! je meurs d'envie de savoir à quoi correspond cette noirceur, mais les autres candidats semblent aussi intelligents qu'un poulpe et personne ne lui pose la question.

— Quel est le pouvoir de cette pierre ? questionne Thya.

— Une personne sans force magique, sans pouvoir, pourrait tomber dans les abysses en contemplant la pierre. Un être surnaturel pourrait se faire influencer par MacGregor.

Le silence qui suit est lourd de conséquences, et les regards suspicieux ne nous trompent pas. Nous avons la certitude que la taupe détient ce bijou, et je peux vous garantir que, actuellement, personne ne se noie dans les abysses en l'admirant. Mais qui est sous l'influence du plus vieux vampire ? L'enquête progresse : nous savons qu'une personne a découvert la pierre et que son comportement a légèrement changé. Vous voyez qui cela pourrait être ? Personnellement, je n'en ai aucune idée, et cela me rend folle. J'avais écarté les loups-garous de mes suspects, mais ils reviennent dans la liste. Surtout Ethan, je trouve qu'il a tout le temps la main dans sa poche. Est-ce pour caresser sa pierre précieuse ?

MacGregor lui murmure-t-il des mots tendres à l'oreille ? Vous me connaissez suffisamment pour savoir que je ne vous donnerai pas des réponses aussi facilement. Il est déjà temps pour nous de se quitter. Je vous souhaite une bonne enquête et je vous dis à demain pour un nouvel épisode.

Épisode 5

Judith Mikelson

« Bonjour à toutes et à tous ! Quelle joie de vous retrouver pour ce nouvel épisode ! Eh oui, nous savons comment le traître a été perverti. Quoique ! Je m'explique. MacGregor parle d'un traître, mais est-ce qu'il fait référence au détenteur de la pierre ou à un autre candidat du camp qui joue les taupes depuis le début ? C'est à s'en arracher les cheveux, vous ne trouvez pas ? Et pourtant, c'est tellement divertissant. Les anti-téléréalités crient au scandale à l'idée de se délecter du malheur des autres, mais je ne dirais qu'une seule chose : nos candidats savaient dans quoi ils s'engageaient. Et puis, le malheur est relatif. J'aurais bien voulu être transportée par un Ayden complètement nu. Alors certes, ils jouent leurs vies, mais il y a des bons côtés tout de même. Je plaisante, bien sûr ! Enfin, à demi... Trêve de bavardages inutiles, il est temps de retrouver nos candidats. Nous devons identifier un traître, une pierre et une personne qui a changé de comportement... »

Épisode 5

Avant de retourner au camp de nos candidats originels, je vous propose une petite halte du côté de MacGregor & compagnie. Je vous garantis que vous ne serez pas déçus par cette escale. En effet, nos nouveaux arrivants ont décidé de prendre du bon temps, et nous aurions tort de vouloir les en priver. Les quatre vampires sont de véritables icônes de mode, et je peux vous dire qu'ils vous donneront envie devant votre télévision. Ne jouez pas les prudes, je vois vos pensées transpercer l'écran. Je plaisante, évidemment.

MacGregor est allongé sur un tronc d'arbre qui ressemble étrangement à une chaise longue. Sa peau est blanche comme le lait, il ne craint pas les coups de soleil ! Bien sûr que non, c'est un vampire ! Mais il doit être d'une puissance inouïe pour s'exposer ainsi. Il ne porte qu'un short de bain aux couleurs du treillis militaire. Nous pouvons admirer ses abdos délicieusement tracés. Il sourit, contemplant la plage devant lui. Tout près de lui se trouve Angel, qui se cache sous une ombrelle en dentelle noire, tenue évidemment par son nouveau serviteur, Severn. Elle regarde avec une envie à peine dissimulée son patron se pavaner au soleil. Elle est tout aussi fascinante que lui, si ce n'est que son maquillage très sombre la rend presque irréelle. Elle porte une tenue militaire plutôt sexy, et son débardeur laisse entrevoir un décolleté provocateur. Eh oui, mesdames, il n'y a pas que vous qui puissiez vous rincer l'œil ! Ne soyez pas jalouses et profitez du beau

Grégoire qui abat des arbres torse nu. Il est à l'ombre, mais tout de même, le spectacle est incroyable. Ses biceps feraient pâlir un bodybuilder. Il tient sa hache d'une main ferme, et frappe le tronc avec une telle force que je rejoindrais avec plaisir le camp des âmes damnées pour ce spectacle.

— Tu ne veux pas arrêter de taper sur des morceaux de bois, demande Angel en direction de Grégoire. On a compris, tu es né à une époque où les bûcherons étaient capitaux à la survie des familles, mais calme-toi un peu, Charles Ingalls.

Grégoire lance sa hache en direction de la jeune femme qui ne bouge pas d'un millimètre. L'outil vient se planter dans le tronc juste derrière elle.

— Et maintenant, il fait son numéro de cirque ! Tu es un vrai rustre des années 1800, reprend Angel en levant les yeux au ciel.

— Et toi ! Je te rappelle que tu es née dans une famille de bouseux au temps du Roi-Soleil. Donc à part nettoyer les latrines des nobles, tu ne valais rien d'autre.

Alors comme ça, les deux compagnons de MacGregor n'étaient que de petites gens lorsqu'ils n'étaient que de simples mortels. C'est fou comme la rencontre avec un être peut bouger votre vie, enfin votre mort. En tout cas, Angel n'a pas apprécié la boutade de son ami, et elle hurle à Severn :

— Va lui casser la gueule ! Tout de suite !

Severn a changé physiquement, il paraît plus juvénile. Est-ce que son nouveau régime alimentaire lui offrirait une cure de jouvence ? Et si le secret de l'immortalité des vampires était tout simplement de boire le sang de leurs congénères ? On me fait signe de me taire, alors je vais m'abstenir d'en dire trop, je ne voudrais pas mourir dans un accident inopiné. Reprenons ! Severn pose l'ombrelle de sa maîtresse et recule vers son adversaire qui sourit de toutes ses dents. Severn se jette sur lui dans une pulsion de rage que nous ne lui connaissons pas. Il percute le corps de bûcheron de Grégoire. Celui-ci ne vacille même pas d'un millimètre. Il assène un coup de coude sur le sommet du crâne de Severn, qui s'écroule au sol, la tête dans le sable. MacGregor, qui a observé la scène, rit avant de reprendre :

— Ma bichette, je t'ai déjà dit que tu ne peux pas envoyer un de tes serviteurs au combat. Il n'aura pas le choix de t'obéir, mais sans aucune conviction, et je n'ai jamais vu personne gagner sans en avoir un minimum.

— Je sais, mais je trouvais que Severn manquait de sable.

Ils se mettent à rire tous les deux. Mon Dieu, que ces êtres sont ignobles ! Comment peuvent-ils regarder leur reflet dans un miroir ? Je n'aime pas Severn, après tout ce qu'il a fait à nos candidats. Mais mérite-t-il de subir ce harcèlement ?

Grégoire redresse Severn, qui semble encore à moitié sonné. Pourtant, il tente d'asséner un coup de poing à son adversaire qui le repousse sans ménagement.

— Tu peux rappeler ta chose, elle ne s'arrêtera pas tant que tu ne lui en donneras pas l'ordre. Je ne voudrais pas le tuer par inadvertance.

En finissant sa phrase, il porte un coup de pied dans la poitrine de Severn. Le pauvre bougre roule sur plus de dix mètres. Il tente de se relever, mais Angel se jette sur lui en lui bloquant les mains et les jambes. Il ressemble à une tortue sur sa carapace, sur le point de rendre son dernier souffle. Il implore :

— Arrête ! Je t'en prie.

— J'adore quand tu me supplies.

Elle l'embrasse amoureusement, ce qui ne semble pas au goût de Severn, qui commence à se débattre avant de se laisser faire, résigné.

— Si tu ne te défends pas, ce n'est pas drôle, lance-t-elle avec un regard malfaisant.

— Arrête de jouer avec lui ! On teste sa loyauté, il n'est pas puni, la reprend MacGregor. Je souhaite qu'il soit sous ton contrôle pour être sûr qu'il ne nous trahisse pas. Compris ?

La vampire se relève et lève les yeux au ciel avant de répondre :

— Je voulais juste plaisanter un peu avec lui.

— Fais attention à ne pas franchir certaines limites, sinon je confie Severn à Grégoire.

Une lueur traverse le regard du pauvre concerné, mais qui est vite réduite à néant quand MacGregor reprend :

— Je ne le ferai pas, Severn ! Je l'ai promis à Angel, et tu sais que je tiens toujours mes promesses. Afin de te rassurer, elle a le droit de jouer avec toi, mais si elle dépasse certaines limites, je l'attaquerai de mes propres mains. Tu es prévenue, Angel !

— J'en ai conscience. Mais tu me connais, j'adore marcher sur la corde raide. Je me sens encore vivante.

MacGregor se met à rire et la prend dans ses bras avant de lui avouer :

— Et c'est en partie pour ça que je t'aime comme ma petite sœur. Mais je ne plaisante pas, si tu vas trop loin avec Severn…

Elle le repousse et lui dit avec une colère mal dissimulée :

— Pourquoi ?

— Parce que, s'il ne nous a pas trahis, mais que tu lui fais vivre la misère à tel point qu'il ne souhaite plus revenir à la maison, je t'en voudrai. Tu n'aimerais pas que j'aie une rancœur contre toi, n'est-ce pas ?

— Non…

Elle ose à peine le regarder car, sous le ton bienveillant employé, on sent clairement la menace qui rôde. Il lui lève le menton et plante ses yeux dans les siens.

— Angel, ne me donne pas de bonnes raisons de te punir ! Tu sais combien j'aime ça, alors ne me tente pas !

— Oui, patron !

La jeune femme s'éloigne de lui, tandis qu'il reprend sa place sur son tronc d'arbre pour une nouvelle séance de bronzage. Il lance :

— Severn, ramène-moi une noix de coco remplie de sang frais, s'il te plaît !

Severn regarde Angel, qui lui fait un signe de tête, et le vampire s'exécute. Mon Dieu, j'ai encore les jambes qui tremblent ! Cette manière de parler, de menacer… Je ne vais pas vous mentir, j'en ai eu des sueurs froides. Ah ! je vous vois derrière votre télévision, vous délecter du spectacle… mais ce n'est pas vous qui êtes en danger si jamais il arrive à sortir de l'île. Avec tout ce que j'ai balancé, je finirais certainement à côté de mon prédécesseur, James Filigan. On me fait signe d'enchaîner. Alors je vous propose de rejoindre le camp ; je ne suis pas contre un peu de douceur face à ce monde de brutes. Rien ne vaut une petite romance interespèce.

Pourtant, rien ne va non plus avec les candidats originels. Bibu est en train de hurler devant son puits.

— Nom d'une eau croupie ! Mais qui a bien pu faire une telle chose ? Notre survie dépend de ça et un crétin sans nom a commis l'irréparable. Mais vous n'êtes que des crapules ! J'ai mis ma vie en danger pour faire ce puits, et vous ne prenez soin de rien. Vous n'êtes que des brise-fer, des brise-ménage…

Je vous évite d'entendre la litanie d'insultes plus originales les unes que les autres. Mais qui a bien pu commettre un tel acte ? Le saboteur ? Un candidat maladroit ? En tout cas, le puits est à sec ! Et ce n'est pas compliqué de comprendre ce qui s'est passé : la bâche du parachute qui servait à empêcher l'eau de se faire absorber dans le sable est trouée. Et ce n'est pas un petit trou. On dirait que le seau est passé au travers. Alors que Bibu cesse son flot d'injures pour reprendre son souffle, Thya s'avance vers lui et l'attrape par le col pour le lever à sa hauteur.

— Arrête ! Je sais que c'est toi. Tu es le seul à rester constamment devant ton puits. Tu le surveilles et tu ne le quittes pas des yeux. Qui d'autre aurait pu faire ça ?

Elle le jette au sol, se tourne vers les autres, folle de rage, et le pointe du doigt. Son visage, qui d'habitude est souriant, est tendu sous un regard froid. On lit clairement la peur dans ses yeux.

— Il n'y a que lui qui gère l'eau puisque c'est sa mission. J'étais assez proche de lui pour savoir qu'il est fourbe. Je ne lui fais aucune confiance et je suis persuadée qu'il est avec MacGregor depuis le début.

Lévana s'approche d'elle et lui demande de se calmer. Mais Thya menace le gobelin. Cette belle amitié qui vole en éclats, quel dommage ! Pourtant, Thya a passé beaucoup de temps avec Bibu ; c'est elle qui le connaît le mieux. Est-ce que je me range de son côté à cause de ma rancune tenace envers cette espèce ? Je ne me le permettrais pas, mais la chamane a des arguments de poids. Il a montré patte blanche en dénonçant MacGregor, mais quoi qu'il en soit, ils n'ont pas vraiment appris grand-chose aux autres. Il a juste réussi à faire partir les fées pour qu'elles ne se mêlent pas au conflit. Pour moi, il a toujours été un traître et je suis sûre que nous n'avons pas fini de découvrir des choses sur sa mesquinerie.

Le gobelin reste là sans bouger. Il a la tête baissée et le regard dans le vide. Il semble tétanisé, ce qui rajoute des soupçons sur lui. Soudain, il redresse la tête et pointe son doigt sur Thya, lui disant avec une froideur dont on ne le soupçonnait pas :

— Mais comment oses-tu ? Je me suis confié à toi. Tu connais mon aversion envers MacGregor et la haine que je lui voue depuis le jour de notre rencontre. Comment peux-tu penser que je sois un traître ? Il a menacé ma famille, Severn m'a maltraité pendant des jours. Tu me dégoûtes, Thya.

— Calme-toi, lui demande Derek. Thya est terrorisée par la situation. Même si elle fait partie du monde des surnats, elle n'a pas conscience de la cruauté de certaines espèces.

Thya serre les dents, mais ne répond pas. Ce qui n'est pas le cas de Bibu qui se tourne vers le jeune homme. Il lui lance :

— Après son joli petit discours sur le fait que les humains sont peut-être plus sympathiques et moins hypocrites, c'est l'hôpital qui se moque de la charité. De toute manière, j'en ai fini avec elle ; elle n'a qu'à rejoindre MacGregor et lui donner tout son sang jusqu'à la dernière goutte, cela m'est bien égal.

Il s'éloigne et croise Lucas et June. Cette dernière l'arrête et lui dit :

— Je vais réparer ta bâche ! Ne t'en fais pas.

Le gobelin lui fait un signe de tête et jette un dernier regard froid sur Thya, qui ne semble pas décolérer, il explique à Derek qu'elle est sûre qu'il ne joue pas franc-jeu. Comment en est-on arrivé là ? J'ai l'impression d'avoir loupé un épisode. Pas vous ? En tout cas, June prend les choses en main. Ses ailes ont repris de leur éclat, elles scintillent au soleil comme des arcs-en-ciel pendant le printemps. Elle s'approche de Thya et lui attrape la main.

— Ne t'en fais pas, je vais réparer la bâche. Je ne pense pas que Bibu soit responsable mais, tu sais, un accident est si vite arrivé. C'est peut-être le seau qui est tombé avec le vent.

Thya acquiesce, mais reste perplexe. Lucas la regarde avec un air menaçant. Clairement, il fait comprendre à la chamane que, si elle monte le ton, il la mangera toute crue. Ne sont-ils pas mignons avec leur petite romance au milieu du chaos qui règne ici ? June se tourne et observe la bâche. Elle prend une poignée de poudre de fée et la lance sur le trou en fermant les yeux.

Les fibres de la toile du parachute s'allongent et se tissent, et en quelques secondes, le trou n'est plus qu'un mauvais souvenir. Lucas pose une main dans le dos de June et lui demande si elle n'est pas fatiguée. À son contact, la fée bat légèrement des ailes et s'empourpre. Il y a des signes qui ne trompent pas. Nous assistons à une violation de plusieurs règles, autant chez les lycanthropes que chez les fées. D'ailleurs, notre roi des fées s'étouffe devant ces images, et je ne parle pas de l'alpha des alphas qui hurle à la mort. Quoi qu'il en soit, j'ai entendu dire qu'il avait d'autres loups à fouetter. Instant rumeur : ses petits-enfants lui en feraient voir de toutes les couleurs, alors est-ce qu'il a le temps de nous regarder ? Il est l'heure de nous quitter… vous connaissez la rengaine… la suite au prochain épisode !

Épisode 6

Judith Mikelson

« Bonjour à toutes et à tous ! Je suis tellement impatiente de vous raconter la suite des aventures de nos candidats. Mais avant tout, je dois vous dire que la relation entre June et Lucas n'est pas au goût de nos dirigeants. Ils me chargent de vous dire qu'aucun manquement à la règle de non-liaison entre les espèces ne sera toléré. L'alpha des alphas ajoute qu'il en va de même avec les vampires. Dommage pour Gabriel et Carmilla. Vous me connaissez, j'étais une journaliste de renom avant de présenter ce programme, et je les ai interrogés sur leurs raisons. Je n'ai obtenu aucune réponse. Alors je ne vous poserai qu'une seule question, mes téléspectateurs chéris : qu'est-ce qui effraie tant nos dirigeants pour ne pas laisser l'amour voler entre les espèces ? Si quelqu'un a des réponses, qu'il n'hésite pas à m'écrire.

Il est temps de retrouver nos candidats, mais avant, nous allons voir ce que prépare le plus grand des méchants. Eh oui, il y a du mouvement dans le camp des nouveaux arrivants ! »

Épisode 6

Après une bonne journée à lézarder sur le rondin de bois, MacGregor a réuni ses troupes devant un petit feu de camp. Severn est toujours en train d'éventer Angel, tandis que Grégoire alimente en bois la flammèche.

— La journée était sympa, mais je m'ennuie, lance Angel.

Comment peut-elle dire ça alors qu'elle a subi des menaces de la part de MacGregor ? À moins que cela soit son quotidien, mais drôle de vie tout de même. MacGregor se racle la gorge puis annonce :

— Tu as raison ! Il est temps de faire une petite activité. Vous ne pensez pas ? Des vacances sans sortie nocturne, ce n'est pas amusant. Angel, que dirais-tu de rendre visite à nos voisins ?

— Oui ! J'ai tellement hâte de les rencontrer. Est-ce que je suis autorisée à tuer ?

— Non, je t'en prie, nous sommes des gens civilisés, mais je te permets les tortures. Je sais de source sûre qu'ils ont perdu l'eau. Leur puits s'est desséché comme une flaque d'eau en plein désert.

— Génial ! Tu viens, Severn, on y va.

Elle se lève et prend la main de son pauvre serviteur, qui a toujours l'air aussi abattu. MacGregor lui lance :

— Attention, Angel ! Pas de morts, et tu ne touches pas Ayden et Carmilla.

Le sourire sur son visage s'efface. Elle grogne et balance un coup de poing de frustration au visage de

Severn. Celui-ci ne dit rien, comme le mollusque qu'il est devenu. Il doit regretter amèrement ses années passées auprès de Carmilla. En tout cas, nous pouvons dire qu'il était mieux traité, et nous avons les images pour le démontrer. Il me ferait presque de la peine. Pas à vous ? Mais nous adorons le voir se faire torturer de la sorte. Surtout les sorciers de l'eau qui se nourrissent de sa mort, comme ils s'alimentent de leur sang. En effet, il a tué votre championne, mais je vous rappelle que de l'eau a coulé sous les ponts et qu'il serait bon que vous passiez à autre chose. C'est fou, les rancunes sont tenaces. Comment voulez-vous vivre dans un monde de paix ? Je plaisante, bien entendu ! Vous avez le droit de le haïr… Par contre, le puits asséché, cela ne vous dit rien ! Est-ce un indice qu'il donne pour indiquer le traître ? Derek, bien sûr ! Qui peut le faire sans problème ? Ah, je vous jure, comment peut-il s'acoquiner avec MacGregor, alors que son fidèle serviteur a tué sa petite amie ? En même temps, si MacGregor lui a promis la tête de Severn avec la torture d'Angel, le jeune homme pourrait avoir rejoint son camp. Est-ce qu'il serait capable de trahir ses nouveaux amis ? Bien sûr que oui ! Souvenez-vous du début de cette émission. Il a profané des tombes pour avoir un peu de pouvoir. S'il n'a pas encore vendu son âme au diable, ce n'est qu'une question de temps.

Il n'a fallu que quelques secondes à Angel pour rejoindre le camp de nos candidats. L'alerte est très vite donnée par Ethan, qui pousse un hurlement. Aussitôt, tout le monde se met en place à des points stratégiques. Derek se tient sur une plateforme avec plusieurs torches que June dépose autour de lui. Il en prend une et commence à faire grossir la flamme. Il lance sa boule de feu de la taille d'un ballon de foot. Severn l'éteint avec l'eau de l'océan. Un panache de fumée envahit la plage pour retomber en pluie fine. Le rire d'Angel retentit, elle leur crie :

— Coucou, je suis la nouvelle voisine. Qui veut jouer avec moi ? Promis, je ne vous tuerai pas.

Une autre boule de feu se dirige vers elle, tout de suite détruite par Severn. Soudain, on l'entend hurler de douleur. Derek sourit et lance à Gabriel :

— Ton plan a fonctionné, je l'ai cramé. Mais ça ne marchera qu'une fois et les blessures ne sont pas mortelles.

En effet, derrière sa boule de feu, il en a caché trois petites qui sont venues percuter de plein fouet Severn pile au milieu du thorax. Ses vêtements sont brûlés, et la cloque qui apparaît est déjà en train de cicatriser. Gabriel lui fait signe avec un pouce en l'air et crie pour les autres :

— On a la preuve qu'ils ne sont pas si intouchables que ça.

— Ils se défendent, les bougres, s'exclame Angel.

Carmilla sort du camp, entourée de la meute de loups. Elle ne ressemble plus à la petite fille effrayée du début de journée. Le vent qui souffle dans ses cheveux blonds lui donne des allures de guerrière viking. Elle hurle :

— Tu n'aurais pas dû venir sans lui ! Il ne sera pas là pour te protéger. Je vais te tuer avec un plaisir immense. Je rêve de t'écraser comme le moustique que tu es depuis des années.

— Ne me tente pas ! Mais j'ai ordre de ne pas te toucher, toi et ton bâtard de rejeton. Et contrairement à toi, je ne veux pas que le patron devienne mon ennemi. J'aime quand il me punit, mais pas dans les mêmes circonstances que toi.

— Tu as toujours été une traînée.

Une boule de feu apparaît, et cette fois-ci Severn ne bouge pas, obligeant Angel et lui à se jeter au sol. Elle se redresse en une fraction de seconde et lui lance :

— À quoi tu joues ? Tu veux que je t'ordonne de mourir au milieu des loups ? Fais attention, Severn.

Il acquiesce. Il se ressaisit et envoie des trombes d'océan sur le camp. Clairement, il vise le feu. Il lui dit :

— Au lieu de me distraire en braillant, tu ferais mieux d'aller chercher Bibu, il n'est pas dans leur camp et je l'entends couiner comme un porcelet. Je vais faire en sorte qu'ils se retrouvent sans feu. On pourra dire adieu au pouvoir de l'autre rouquin.

Elle ne prend pas la peine de lui répondre et disparaît, tandis qu'il se concentre pour manipuler l'eau. Je ne vais pas vous mentir, soit il est très mauvais viseur, soit il le fait exprès. Il semblerait que je ne sois pas la seule à le voir, car Carmilla marque un temps d'hésitation, et on peut constater un échange de regards entre les deux vampires. Hélas, ce moment suspect qui manque d'explication est très vite écourté par Angel. Elle revient avec un rire digne des plus grands films d'épouvante. Elle tient tout contre elle, comme une simple poupée de chiffon, un gobelin pas très coopératif qui se débat en vain. Elle le lance à ses pieds, tandis que Bibu vomit le peu de viande qu'il a ingurgitée. C'est certainement l'hypervitesse. Je ne vous cache pas que de le voir à la merci des vampires me ferait presque pitié. À moins qu'il soit venu chercher leur ami traître. La question va très vite trouver une réponse, car la jeune femme envoie son pied de toutes ses forces dans les côtes du gobelin qui s'élève du sol. Elle saute rapidement, et d'un coup de poing le ramène au sol. Bibu gémit sous l'impact avant de sombrer dans l'inconscience. Angel lance avec désinvolture à Severn :

— Je suis dégoûtée ! J'aurais voulu qu'il reste conscient plus longtemps.

Elle le récupère par le bras et l'expose comme une petite fille le ferait avec une poupée de chiffon. Derek essaie de la faire lâcher sa proie en envoyant des flammes, mais elles sont immédiatement interceptées par les déluges d'eau de Severn. Angel sourit de toutes ses dents et dit à Carmilla :

— Je ne dois pas te toucher, ni toi ni ton rejeton, mais tous tes amis vont devenir mes jouets. N'est-ce pas, Severn ? Si tu lui montrais comment je t'ai bien dressé. Aboie !

Severn tente de lutter, on le voit sur son visage, mais après un effort qui semble surhumain, il imite le cri du chien tout en continuant à lancer des trombes d'eau sur les attaques du sorcier de feu. Angel se remet à glousser avant d'exploser de rire. Gabriel donne des ordres à peine compréhensibles, mais la meute se met en mouvement. Il est en tête et, de chaque côté, on trouve Ayden et Lucas. Ethan assure leurs arrières. Ils s'élancent à toute vitesse sur la plage. L'alpha lui gueule :

— Tu te crois forte à distance. Rapproche-toi que je plante mes crocs dans ton joli petit visage.

— Stop ! hurle Angel. Si tu fais un pas de plus, je tue le gobelin. Severn nous a dit que vous êtes tous super unis. Tu ne voudrais pas être responsable de la mort de ton copain. Et puis, on a des choses à régler avec lui, après tout il nous a joué un mauvais tour.

Gabriel a ralenti, mais ce n'est pas pour autant qu'il s'est arrêté. Il murmure à Ayden :

— À quelle distance tu peux l'avoir ?

— Je ne sais pas, mais je dirais à un mètre.

Le grognement de frustration qui sort de la gorge de l'alpha exprime clairement que cela ne l'arrange pas. Il se remet à courir, mais Angel lui lance :

— À plus tard, petit loup ! Promis, je viendrai jouer avec toi et je suis sûre que tu vas adorer. Severn, on bouge.

Ils disparaissent tous les deux de la plage avec Bibu. Gabriel s'élance en suivant leur piste. Il demande déjà à Lucas de prendre sa forme lycanthrope, mais Carmilla se précipite et l'arrête. Elle pose une main sur son torse et lui murmure :

— C'est trop tard, on ne peut plus rien faire.

— On ne peut pas l'abandonner avec eux, ils vont le torturer et le tuer, hurle Gabriel en lui postillonnant au visage. Laisse-moi le récupérer !

Il faut dire qu'il écume de rage, et un son guttural s'échappe de sa gorge. S'il y avait une image pour définir la rage, clairement il serait pris en photo. Carmilla ne bouge pas et le regarde dans les yeux. Ayden est prêt à intervenir si la vampire tente de l'hypnotiser, mais elle n'en fait rien. Les secondes semblent des heures jusqu'à ce que Carmilla murmure :

— Il est trop tard. Nous serons tous tués si nous y allons. Et ils s'arrangeraient pour nous torturer pendant des jours. Crois-moi, nous devons trouver un autre plan.

Gabriel finit par relâcher la tension musculaire, et Carmilla détourne le regard. Il se dirige vers le camp. Il semblerait que nos candidats aient perdu une bataille, et pas des moindres. Je doute fort que nous retrouvions le gobelin en vie. Je ne suis pas la seule à penser ça. Lorsqu'ils passent la porte du camp, Thya les observe avec inquiétude. Elle demande :

— Où est Bibu ?

Gabriel s'avance vers elle, mais il est arrêté par Carmilla. Elle regarde la jeune fille et lui avoue :

— On n'a rien pu faire. Ils l'ont certainement récupéré dans la forêt et nous ne pouvons pas aller sur le camp de MacGregor.

La chamane commence à pleurer, puis ses larmes se transforment en sanglots. Sa réaction contraste avec les accusations qu'elle portait il n'y a pas si longtemps. Un sentiment de culpabilité se cache-t-il derrière cette réaction ? Chers téléspectateurs, je vous laisse seuls juges, mais on peut dire qu'elle est en partie responsable. Je vous rappelle que Bibu a pris le large pour mettre de la distance entre lui et les accusations de la jeune femme. Je ne suis pas la seule à trouver tout ça louche, Derek ne peut s'empêcher de se faire l'avocat du diable. Il balance avec mépris :

— Tu te posais moins la question de sa survie quand tu essayais de nous convaincre de le tuer car c'était un traître.

Il est très vite éteint par Lévana qui lui colle une feuille sur la bouche en lui faisant les gros yeux. Elle lui murmure :

— Je doute que ce soit le moment pour ça.

Elle s'approche de la jeune femme et lui frotte le dos pour tenter de l'apaiser. Derek recrache la feuille et se tourne vers Gabriel pour lui expliquer :

— Je suis partagé. Après tout, ils savent beaucoup de choses sur notre camp, et je ne serais pas étonné qu'il y ait une taupe. Ils l'ont peut-être ramenée sur leur camp pour récupérer des informations sur nous. Je dis ça, je dis rien, même son amie de l'aventure a eu des soupçons.

Gabriel secoue la tête avec un air désapprobateur, et lui annonce :

— Elle a raison, ce n'est pas le moment, mais je t'entends. En effet, ils auraient pu travailler ensemble pour nous pousser dans un piège.

Le soleil se couche sur notre île préférée, et seuls les sanglots déchirants et légèrement surjoués de Thya résonnent. Les tours de garde ont été donnés, et la nuit promet de ne pas être tranquille. Et on adore ça ! Vous voulez savoir ce qui va se passer pour le gobelin ? Est-il le traître ? Est-il réellement en danger ? Vous voulez savoir ? Eh bien, la suite au prochain épisode… Ah Ah Ah ! j'aime mon côté diabolique…

Épisode 7

Judith Mikelson

« Quelle joie de vous retrouver pour la suite ou éventuellement la fin de l'aventure d'un de nos candidats ! Eh oui, il semblerait qu'un gobelin soit en mauvaise posture ! Je ne donnerai pas mon avis. Cela m'a valu de nombreuses farces de la part de certains. Et puis, on ne sait jamais, après tout, il est peut-être toujours du côté de MacGregor et il est un espion triple. Impossible ! Bien trop compliqué pour le cerveau d'un gobelin. Et voilà, vous me laissez divaguer et je dis des bêtises. En tout cas, les images de cet épisode peuvent choquer les plus jeunes… humains bien sûr. N'oublions pas que nous ne sommes pas aussi protecteurs et fleur bleue que cette espèce. Nous enseignons à nos enfants la violence de notre monde. Alors il est temps de prendre une leçon de cruauté, car un certain gobelin va passer une soirée plutôt difficile. »

Épisode 7

Je vais vous passer les pleurnicheries du camp des candidats originels. Honnêtement, il n'y a aucun intérêt, et mis à part des litres de morve et de larmes, c'est tout ce qu'on en retiendra. Quoi ? Je suis sans cœur. Vous l'êtes autant que moi, je vous vois vous offusquer, mais votre sourire complice est révélateur.

Retrouvons notre cher MacGregor qui attend le retour de ses deux émissaires. Il ne lui faut pas longtemps pour arborer un large sourire.

— Ils nous ramènent un invité, j'ai hâte de le découvrir. Tu ne l'entends pas couiner, Grégoire ?

— Si, répond-il, mais je m'en contrefous.

Il est en train de se nettoyer les ongles avec son couteau et ne daigne même pas tourner la tête à l'arrivée de ses camarades et de leur pseudo-otage. Évidemment, le gobelin a été emmené par Severn, vous n'imaginez pas que la très chère Angel allait se salir les mains. Celui-ci dépose le gobelin un peu violemment devant eux. MacGregor s'approche de lui, j'en ai froid dans le dos. Tout a changé chez lui, son visage exprime clairement le dégoût et la rage. Ses yeux sont froids et glaçants, même son attitude manifeste la menace. Il s'avance vers le gobelin complètement léthargique. Il vacille sur ses jambes et tombe à genoux aux pieds de MacGregor.

— Tu t'agenouilles devant ton maître !

Le silence qui suit est angoissant. MacGregor attrape le gobelin par l'oreille et le soulève. Bibu se met à hurler comme s'il se réveillait d'un mauvais rêve pour sombrer dans un cauchemar. MacGregor se saisit de l'autre oreille avec sa main valide et l'approche de son visage.

— Alors, petit monstre, tu as voulu me trahir ! Tu sais ce qui arrive à tous ceux qui se pensent plus malins que moi. Tu as beau avoir sauvé ta sœur, je vais la retrouver et tu n'as aucune idée de la souffrance qu'elle va subir par ta faute.

Il le jette vers Grégoire, qui le renvoie, dans un retourné acrobatique digne des plus grands joueurs de foot, en direction d'Angel. Elle lui saisit le bras et l'expulse vers MacGregor qui l'aplatit au sol. Bibu tousse, et un panache de sang s'échappe de sa bouche.

— J'aime notre ballon, patron, lance Angel toute contente. Je suis démarquée pour une nouvelle passe.

— Non ! Avant, je veux connaître tout ce qu'il sait. Tu ferais mieux de parler, sinon…

Le peu de courage de Bibu fait une apparition fulgurante. Il se met à rire et lance dans un murmure à peine audible :

— Quoi qu'il se passe, tu vas me tuer ! Et quoi ? Qu'est-ce qui pourrait être pire que la mort ? Ma famille ? Elle est en sécurité.

Un rire s'échappe du petit être sous le pied de MacGregor, un rire de victoire. Il lance à MacGregor :

— Ce qui fait de toi un être puissant, c'est la peur que tu inspires aux autres. Mais je suis déjà mort, tu n'as plus de pouvoir sur moi. Tu l'as perdu en me blessant mortellement. Je n'ai plus rien à perdre, si ce n'est te maudire de l'au-delà et espérer que tu meures par la main de la femme que tu as toujours aimée.

Le gobelin tousse à nouveau. Cette fois, un filet de sang noir s'écoule de sa bouche. MacGregor le soulève par le bras pour approcher son visage au niveau du sien.

— Tu oublies un détail. Je peux rendre ta mort si longue et douloureuse que tu me diras tout ce que tu sais.

— Non, mon esprit de vengeance sera toujours plus fort. Tu ne maîtrises rien, mais tu vas souffrir, tu vas subir mille tourments. Leur plan est bien ficelé et je ne vois aucune chance pour toi de t'en sortir. Je me délecte de savoir ce qui t'attend dans les prochains jours. Ne t'en fais pas, ton espion n'est qu'une marionnette dans leurs mains. Carmilla te connaît si bien. Ayden te hait plus que tout. Les loups ont la rancune tenace, ils n'ont pas vraiment aimé que tu joues avec leur mémoire. Et le pire dans tout ça, Lévana.

Il tousse et crache du sang sur le visage du plus vieux vampire du monde, mais le sourire satisfait sur son visage sème le doute. MacGregor l'observe comme un joueur d'échecs. Il le lance au loin et dit :

— Retourne mourir auprès d'eux. Je n'imagine pas une seule seconde que cela les affectera, ce ne sera que le début de leur torture. Severn, ramène-le et jette-le par-dessus les remparts.

J'aurais presque de la peine pour le pauvre gobelin, et vous savez pourtant combien je le déteste. Clairement, ce n'est pas la taupe et il a tenu sa langue. Il n'avait pas vraiment de choses à dire, car je ne vois pas l'ombre d'un plan avec les candidats, mais il a réussi à semer le doute dans la tête de MacGregor, et pour ça, je salue son audace. Severn est rapide, mais il ne se sert pas de l'hypervitesse pour ramener le pauvre Bibu auprès de ses amis. Il tient le gobelin comme un bébé dans ses bras, et son visage est marqué. S'est-il attaché à son compagnon d'infortune ? À moins que ce soit le traitement qu'il subit par ses soi-disant amis ! Il arrive près du camp et murmure au gobelin :

— Je vais devoir me dépêcher, car ils n'hésiteront pas à me tuer. Je suis désolé. Si tu en as la force, dis à Carmilla que j'aime toujours les chamallows au coin du feu.

Puis il se sert de l'hypervitesse, dépose le gobelin délicatement et disparaît dans la nuit. L'alerte a été donnée, mais lorsqu'ils découvrent le gobelin recroquevillé en position fœtale, tous se figent. Severn reste à la lisière du bois, et seule Carmilla semble le voir au loin. Elle le fixe avec un regard si méprisant ; et elle a tellement raison. Après tout, il est responsable de la souffrance du pauvre petit bonhomme. Lévana s'approche de lui et tente de le soulever pour le ramener près du feu, mais Bibu pousse des cris à réveiller les morts, si je peux me permettre. Hélas pour lui, ce sont déjà les âmes damnées qui lui ont ouvert la voie. Gabriel serre les dents et dit :

— On ne peut pas le laisser là, si c'est un piège, nous allons tous y passer.

Il saisit le gobelin le plus délicatement possible et s'empresse de le déposer près du feu. Lévana s'agenouille à ses côtés et lui déchire les vêtements. Devant le corps frêle et bleuté de Bibu, elle ne peut retenir un hoquet d'effroi. Elle se tourne vers Ayden qui la serre dans ses bras. Thya se met à pleurer. Pourtant, nous l'avons vue à l'œuvre pour des blessures bien plus graves. La chamane reste là, pantoise.

— Soigne-le, crie Ethan. Tu peux le faire ! Tu as guéri des blessures bien pires !

— Je ne peux pas, lance-t-elle avec un regard noir.

— Et pourquoi ? Que te faut-il, dis-nous, on va le chercher.

— Rien ! Je ne peux pas, mes guides ne sont plus à mes côtés.

Le silence tombe sur le camp, et seul le souffle saccadé de Bibu se fait entendre. Il toussote, et le sang qui s'écoule de sa bouche révèle que la fin est proche. Carmilla s'agenouille et prend Bibu dans ses bras pour le bercer. Elle lui murmure :

— Si tu le souhaites, j'achève tes souffrances, petit homme.

— J'ai réparé le puits, vous aurez de l'eau. Ma sœur, je l'aime… je veux qu'elle… vive pour moi… pas culpabiliser…

Ses yeux se remplissent de larmes. Carmilla le serre plus fort et l'embrasse sur le front.

— Attends, dit-il d'une voix à peine audible. Severn… chamallow, feu.

— Chut, petit homme, il est temps pour toi de dormir du sommeil de l'éternité, lui chuchote Carmilla. Merci pour tes pitreries, ta bonne humeur. Tu as adouci nos cœurs pendant toute l'aventure.

Le souffle de Bibu devient de plus en plus archaïque et, dans un dernier soupir, il ferme les yeux, le visage apaisé. Carmilla continue à le bercer un long moment en lui chantant une berceuse. La reine des vampires de l'essaim de Bourgogne semble terriblement touchée par cette mort. Thya, quant à elle, est figée. Mon Dieu, la culpabilité doit l'envahir de toutes parts ! Si elle n'avait pas été aussi méchante, le gobelin ne serait pas allé à l'extérieur du camp et ne se serait pas fait prendre, d'autant que son côté humain est bien réel par rapport aux autres monstres. Comment va-t-elle se remettre de tout ça ?

Les autres se rassemblent autour de Carmilla et pleurent en silence. Et… vous me voyez venir… Il est temps d'opérer un point sur les couples. Quoi ? On ne va pas chialer éternellement. Il faut bien que les ragots reviennent. Et je vous observe en train de pointer du doigt et de juger la main de l'alpha Gabriel sur Carmilla, reine des vampires. Une alliance contre-nature, me direz-vous ? Je ne vous cache pas que le pauvre alpha des alphas, autrement dit le grand patron des loups, s'étouffe avec son café qu'il aime tant. Mais ce n'est pas fini : un autre loup commet la faute de s'unir avec une espèce différente. Lucas serre June, dont le visage est blotti contre son torse. Il lui dépose un baiser sur le crâne et l'entoure de ses bras très musclés et réconfortants. Cette fois-ci, l'alpha des alphas a sans doute tout recraché par le nez, et la tasse a dû voler contre la télé. Ah, je vous vois sourire ! Mais il y a un autre couple plus discret, et pourtant bien réel. Ayden s'est agenouillé près de Lévana en crise de larmes, lui attrapant la tête pour la poser contre lui. Il la berce sur la litanie de notre reine vampire, et la jeune femme s'abandonne complètement dans ses bras.

Je dois dire que cette mort nous a été très utile pour obtenir du dossier croustillant, mes petites ailes en frémissent. Quoi ? Je vous choque ! Arrêtez de vous cacher derrière cette bien-pensance, je sais que vous raisonnez comme moi. Et si nous cessions de nous juger cinq minutes pour apprécier qui nous sommes…

Trêve de bavardages, il y a de l'action, et je ne voudrais rien louper. Severn est de retour sur le camp.

MacGregor ne semble pas vraiment au mieux de sa forme, et depuis son arrivée sur l'île, c'est la première fois qu'il paraît préoccupé. Il se jette sur Severn et le colle contre un arbre, à quelques centimètres d'une branche qui pourrait bien servir de pieu. Severn la regarde avec une lueur d'angoisse dans le regard. MacGregor lui lance :

— Mais qu'est-ce qui t'a pris autant de temps ?

— Je ne voulais pas utiliser l'hypervitesse et leur rendre un cadavre. L'impact de le voir mourir a été plus fort. Je suis resté pour les observer.

— Et tu vas me dire que Carmilla ne t'a pas repéré, ni les loups et leur odorat.

— Certainement que si, mais tu ne la connais pas aussi bien que moi.

MacGregor lui feule au visage, les veines autour de ses yeux apparaissent ainsi que ses canines. Ses pupilles rougeoient comme deux braises ardentes.

— NE ME PROVOQUE PAS !

Cela sonne comme un coup de tonnerre. D'ailleurs, Grégoire et Angel n'en mènent pas large. Ils se tiennent à distance des deux autres et regardent la scène avec une peur à peine dissimulée. Clairement, il fout les jetons, le MacGregor. Severn déglutit péniblement et reprend :

— Elle l'a bercé en attendant son dernier souffle. Je savais qu'elle ne le quitterait pas avant. Elle a dit aux loups de ne pas bouger, et de toute façon, ils ont accompagné le gobelin jusqu'à la fin. Par contre, je crains que tu aies réveillé un esprit de vengeance en eux.

Il relâche Severn et ajoute :

— Tant mieux ! Je désire les rendre fous. Je veux qu'ils me supplient de les achever. Carmilla n'aura pas d'autre choix que de retomber dans mes bras si elle souhaite survivre.

Severn détourne le regard, mais il est clair qu'il n'en pense pas moins. Je doute que son plan ait la moindre chance de fonctionner. MacGregor se tourne vers les deux autres et leur dit :

— Je vais leur rendre une petite visite. Vous m'attendez ici.

Puis il disparaît en une fraction de seconde. Sur le camp, Derek est en train de brûler le corps du gobelin. Contrairement aux autres, il est resté froid. Est-ce la taupe ? Thya regarde les flammes quand Carmilla lui demande :

— Est-ce que cela t'est déjà arrivé que tes guides te lâchent ?

— Je ne sais pas, répond-elle entre deux sanglots.

June s'empare de la poudre de fée et s'envole pour survoler le bûcher. Elle en parsème sur les dernières flammes et murmure :

— Que la terre retourne à la terre.

Alors les cendres s'enfoncent dans le sol, ne laissant qu'une marque de brûlure. Une odeur d'automne se répand sur le camp, et Lévana ne peut s'empêcher de sourire malgré les larmes. Elle se lève et prend les mains de June qui se pose près d'elle.

— Merci ! Il aurait adoré, lui qui aimait tant la terre.

Après quelques minutes de silence, Gabriel demande à tous de le rejoindre. Nous allons encore avoir un discours digne des coachs de football. Mon Dieu, qu'il est rébarbatif, ce jeune loup ! Ne zappez pas, je vous rappelle que MacGregor les observe à distance, et je ne voudrais pas louper la rencontre. Vous me voyez venir, n'est-ce pas ? C'est déjà l'heure pour nous de vous quitter, et vous avez le droit de me haïr, j'adore ça. On se retrouve demain pour la suite des aventures de nos candidats… Et je vous annonce une nouvelle mort, beaucoup plus spectaculaire… La suite au prochain numéro…

Épisode 8

Judith Mikelson

« Bonjour à toutes et à tous ! C'est un réel plaisir de vous retrouver pour ce nouvel épisode de *Treize, qui survivra à MacGregor ?* J'avoue pleinement mon côté diabolique lorsque je vous ai quittés hier. Mais j'ai appris que vous aviez lancé des paris sur le prochain candidat qui passera de vie à trépas. Nom d'un petit ver vermoulu, que vous êtes cruels ! Mais comme on dit, on a le public qu'on mérite. Je vous adore ! Bien évidemment, je ne vais pas vous laisser pantois et je vais vous donner un indice, mais pas des moindres : c'est la taupe de MacGregor qui va mourir ! Ah Ah Ah ! J'espère que vous avez bien mené l'enquête ! Allez, place à nos candidats, vous avez l'air de ne plus supporter mes jolies petites ailes… »

Épisode 8

Alors que nous nous apprêtons à subir un énième discours de l'alpha Gabriel, MacGregor est caché assez loin dans les bosquets pour ne pas se faire repérer. Je doute qu'il voie ou entende quelque chose, mais au moins il n'est pas repérable. Je t'en supplie, MacGregor, rejoins-les pour nous éviter l'ennui d'écouter Gabriel et ses encouragements. Il monte sur une souche d'arbre, je ne comprends pas son besoin d'être en hauteur. C'est tout simplement ridicule. Il se lance :

— Nous avons encore perdu l'un de nos camarades. Je sais que nous avons le moral au plus bas. Nous devons vendre notre peau chèrement. Nous ne devons plus partir seuls.

— Qu'est-ce que tu sous-entends ? demande Thya avec colère.

Son regard est froid et son visage contracté. Elle est passée de la petite pleurnicharde à la femme en colère en une microseconde. Elle se lève et fixe Gabriel dans les yeux, il réprime son instinct de loup pour ne pas la corriger.

— Je n'insinue rien du tout. Je vous demande simplement de ne plus vous isoler et de ne pas partir seul. Sinon, ils n'auront qu'à nous cueillir.

— Tu n'as qu'à dire que c'est de ma faute tant que tu y es. Si Bibu a quitté le camp, c'est parce qu'il ne supportait plus tes ordres ou tes sous-entendus.

— C'est l'hôpital qui se moque de la charité, lance Lévana. Il est parti parce que tu l'as blessé en l'accusant d'être un traître. Je te rappelle que tu l'as…

Elle ne finit pas sa phrase, car Carmilla s'est redressée, ainsi que tous les loups. Il semblerait qu'un invité surprise se pointe au camp, et nous, nous savons déjà qui c'est… le grand méchant loup, enfin vampire, si je puis me permettre. Il n'est qu'à quelques mètres de l'entrée du camp et il toussote pour signaler sa présence. Encore une fois, je doute de l'efficacité de leur système de surveillance. Ils doivent sentir trop fort et l'odorat des loups est saturé. Je vous rappelle que cela fait plusieurs jours qu'ils n'ont pas pris de douche. Je ne vois que cette explication pour que MacGregor s'approche d'aussi près sans que personne ne s'en rende compte. À moins que le discours de notre cher Gabriel soit si soporifique qu'il les a tous endormis. Un peu d'humour n'a jamais tué personne. Oui, j'ai compris, vous voulez la suite. Je reprends… MacGregor s'annonce à la porte du camp. Je vous rassure, il est à une distance suffisante pour empêcher un affrontement. Par contre, les loups sont déjà en action et s'élancent en direction de l'ouverture. Carmilla disparaît et réapparaît devant la porte, les mains levées pour bloquer la meute. Gabriel lui dit d'une voix gutturale :

— Laisse-nous passer !

— Hors de question ! C'est un piège et il vous tuera tous les quatre.

Gabriel est accompagné de Lucas et d'Ethan, même Ayden est toujours à sa droite. Le métamorphe, qui semblait éteint depuis plusieurs jours, est de nouveau animé par les flammes de la vengeance.

— Je ne souhaite pas me battre, mes petits chiots, dit MacGregor en riant. Je suis là pour discuter. J'ai appris la mort de votre ami. Je m'en excuse, mais je me suis laissé emporter. Il m'a trahi en révélant certaines informations sur mon compte. Je suis venu en paix.

Quel type cruel ! Mais on doit se l'avouer, sans lui le programme serait fade. On adore le détester, n'est-ce pas ? Carmilla ne prend pas la peine de se tourner pour le regarder. Elle fixe la meute qui ne semble pas vraiment coopérative. Elle murmure plus à Gabriel que pour les autres :

— Ne tombez pas dans son piège ! Je vous en supplie ! Restez dans le camp.

Gabriel serre les dents, mais il hoche la tête. Elle se retourne pour faire face à son ex-compagnon. Le visage de MacGregor change. Ses traits s'adoucissent et son regard brille d'une lueur que nous connaissons tous, l'amour. Ne serait-ce pas sa faiblesse ? En tout cas, Carmilla n'a pas la même illumination, elle lui hurle :

— Dégage ! La bienséance serait de nous laisser faire notre deuil. Tu n'as même pas ça !

— J'arrêterais ce petit jeu malsain, si j'étais toi, Carmilla. Je ne désire qu'une seule chose. Si tu souhaites sauver tes amis, je ne veux qu'une discussion avec mon descendant.

— Il en est hors de question. Tu ne t'approcheras pas de lui.

— Et pourquoi ? Il me semble que tu n'es pas sa mère et que tu n'as pas plus de droits sur lui que moi. Il a autant mon sang que le tien.

— Tu ne peux pas le manipuler ou le corrompre. C'est ça, le fond du problème, alors tu souhaites sa mort. Il ne s'approchera pas de toi.

Je me demande tout de même ce que pense le petit de tout ça ! Après tout, il a peut-être son mot à dire. J'ai l'impression d'assister à une bagarre devant le juge des enfants. Qui obtiendra la garde du petit Ayden ? Son arrière – je ne sais plus combien de fois – grand-mère qui veut le protéger ou son arrière – vous avez compris la rengaine – grand-père qui désire sa mort contre la vie de ses amis. Alors, que va choisir le métamorphe ? Ayden s'avance vers Carmilla et lui pose une main sur l'épaule. Celle-ci ne bouge pas d'un pouce et murmure :

— Si tu essaies de passer, je te tue de mes propres mains.

— Tu en serais bien incapable, rit MacGregor, après tout ce que tu as fait pour le sauver. Nous sommes en conflit sur le sujet depuis des centaines d'années. Cette île réglera peut-être le problème. Rejoins-moi, métamorphe, et certains en sortiront vivants.

— Il ne bougera pas de là. Je suis son alpha et il ne peut pas me désobéir.

— Ah Ah Ah ! Voilà que le loup se mêle à la partie. Tu parles trop pour un futur mort. Quoi qu'il se passe, je te tuerai. Pourquoi, me direz-vous ? Parce que je t'ai vu toucher ma femme avec tes sales pattes. Ce n'est pas contre-nature que tu forniques avec une vampire ? Je crois que tes lois te l'interdisent.

Il a osé. Mon Dieu que cet homme est viril ! Certes cruel, mais il soulève un lièvre. D'ailleurs, l'attitude gênée de certains nous révèle qu'il y avait bien anguille sous roche… D'autant que MacGregor vient de sonner le glas de la réalité. Il est proscrit de s'amouracher entre espèces. La gêne est de courte durée, car Carmilla se retourne vers Gabriel, l'attrape par le col et colle sa bouche sur la sienne. Je peux vous dire que la température monte d'un cran et que l'alpha des alphas est au bord de la crise cardiaque. Clairement, nous assistons à un roulage de pelle dans les règles de l'art, digne des plus grands films hollywoodiens. Elle relâche son étreinte sur le pauvre Gabriel qui semble complètement désarçonné. Elle se tourne vers MacGregor et lui hurle :

— Je n'ai jamais été ta femme, mais simplement ta chose. Tu m'as perdue quand tu as voulu tuer notre fils et que tu m'as réduite en esclave comme tu le fais avec les sorcières. Cette île est celle de ta mort. Ce n'est qu'une question de temps !

MacGregor ne sourit plus. Ses yeux brillent d'une lueur incandescente. Il dit :

— Très bien ! La mort du gobelin était un petit avant-goût. J'aurais souhaité te garder sous la main encore un peu, mais je t'en prie, mon ange. Tue les loups !

Thya se lève comme une marionnette désarticulée. Elle rit telle une poupée maléfique. Elle se saisit d'une machette et la plante dans le thorax du pauvre Ethan, qui lui tournait le dos. Elle éclate de rire en regardant le ciel, puis retire la machette pour se diriger vers Lucas, qui esquive l'arme à plusieurs reprises. Thya articule une litanie :

— Ne bouge pas, je dois tuer le loup. Tu dois accepter et ne pas t'éloigner.

Puis elle reprend son rire tout en continuant à agiter son bras pour poignarder Lucas. MacGregor rit aux éclats devant l'incrédulité des candidats. La traîtresse n'est autre que Thya. Lévana, restée en retrait, s'avance vers la chamane en l'insultant de tous les noms d'oiseaux possibles et imaginables. Elle finit par lui dire :

— Toi qui parles de la bienveillance des humains, comment peux-tu faire ça ? Réponds-moi ! Tu n'es qu'une menteuse…

Elle ne termine pas sa phrase et enfonce ses mains dans la terre. Elle pousse un hurlement alors qu'un énorme tronc sort du sol. Une liane se déploie et s'enroule autour du cou de Thya, qui tente toujours de poignarder Gabriel ou Lucas. Elle ne semble même pas se soucier de ce qui se passe, et encore moins de la liane qui lui sert d'écharpe.

— Arrête ! crie Carmilla, ne la tue pas.

Mais c'est déjà trop tard. Le tronc grandit à une vitesse vertigineuse et Thya pend au bout de la liane, le cou brisé.

— Non, hurle Carmilla. Pourquoi l'as-tu exécutée ? Il ne fallait pas, il a gagné.

Cette fois, la vampire semble sortir de ses gonds. Elle se dirige vers la porte, mais Gabriel la retient.

— S'il te plaît, je dois m'occuper d'Ethan. Si tu y vas, il te tuera.

Mais qui d'Ethan ou de Thya est mort ? Je vous l'ai dit au début de l'épisode. Et si je ne vous avais pas tout raconté, et que nous en étions à trois crémations pour une galoche. Avouez que ma blague est drôle. Carmilla tombe à genoux et murmure :

— Je ne bougerai pas d'ici. Va t'occuper de ton ami, je n'aurai pas la force de bercer un nouveau corps ce soir.

Gabriel court rejoindre Ethan. Lucas est déjà sur lui, en train de lui arracher les vêtements. Il demande à son alpha :

— Il ne cicatrise pas ! Pourquoi ?

— Certainement qu'un organe vital a été touché. Tiens bon, Ethan ! Je t'ordonne de ne pas mourir.

Le jeune homme pousse un grognement, mais son souffle est clairement saccadé.

— J'ai froid, murmure-t-il.

Ça sent le sapin, comme dirait un vieil ami. Je doute qu'il survive à ce coup de machette fatal. Elle l'a tout de même transpercé de part en part. Vous savez la force qu'il faut pour ça ? Vous voulez des nouvelles d'Ethan ? Je crains fort que nous devions le délaisser pour nous rendre à l'endroit de l'action. MacGregor est toujours sur la plage face à la porte. Il rit aux éclats devant Carmilla, qui semble dépassée. Elle hésite entre rejoindre Lévana, qui regarde Thya pendu dans son arbre, ou se jeter sur MacGregor. Soudain, une pierre noire comme l'ébène tombe du corps suspendu par le cou à la liane. Lévana tente de la rattraper, mais Carmilla se précipite sur elle et attrape la pierre précieuse.

— SALE TYPE, hurle-t-elle en direction de la plage. Même ça, tu as trouvé le moyen de le pervertir. Comment as-tu pu… ?

— Me servir de toi ! De notre amour ! Je sais ce que représente cette pierre pour toi, ma belle. Je ferai tout pour te récupérer. Dans cette pierre, il y a une partie de moi, et quelle n'a pas été ma surprise, quand j'ai ressenti cet être si inférieur à la lisière de ma conscience. Il ne m'a pas fallu longtemps pour corrompre son âme, même si de nombreux esprits ont tenté de m'en dissuader. Tout cela était si divertissant, je passe des vacances merveilleuses. Je te remercierai comme il se doit lorsque nous rentrerons à la maison.

— Je te hais plus que quiconque ! Tu es mauvais et néfaste, et tu pervertis tout ce que tu touches. Je te tuerai.

— De l'amour à la haine, il n'y a qu'un pas, mon amour.

Ayden s'avance derrière Carmilla. Il pose une main sur son épaule, puis lui passe devant, comme pour couper le contact entre elle et son ex-compagnon. Il lui dit avec une froideur que nous ne lui connaissions pas :

— Je vais te tuer ! Pour tout ce que tu as fait subir à mon peuple, à ma famille.

— Doucement, le métamorphe, tu oublies que j'appartiens à ton arbre généalogique autant que Carmilla.

— Je vais scier définitivement la branche pourrie. Tu vas mourir, c'est une certitude, et je passerai du temps avec mon arrière-grand-mère. Nous aurons toutes les discussions nécessaires mais, toi, tu n'auras rien de moi, tu ne t'approcheras plus d'elle. Si tu veux jouer, alors j'entre dans la danse. Bonne chance ! Tu es devenu ma proie.

Il joint les actes à la parole et se métamorphose en loup. Son pelage est blanc, et la lune qui scintille sur son poil lui donne des lueurs de lumière divine. Il s'avance et s'assied devant la porte pour hurler à la lune. L'image est incroyable. MacGregor a effacé son sourire. Il regarde la bête avec un air de défi, mais le regard ambré d'Ayden ne baisse pas. La menace émise quelques secondes plus tôt n'était pas des paroles en l'air, et le plus vieux vampire du monde semble s'en rendre compte. Après un sérieux que nous ne lui connaissions pas encore, il reprend son air faussement joyeux et lance :

— Je vous laisse, vous avez des cadavres à brûler. Bonne soirée.

Il disparaît. Est-ce qu'il a pris peur face à son arrière-petit-fils ? Je vous vois déjà jacasser devant la machine à café. Le débat reste entier ! Quoi ? Vous désirez savoir ce qui se passe pour ce pauvre Ethan ? Mais je ne suis pas de ces fées qui révèlent tout le premier soir. Enfin peut-être que si, mais pour ce qui est du mystère… Vous l'avez compris… la suite au prochain épisode…

Épisode 9

Judith Mikelson

« Bonjour à toutes et à tous ! C'est un réel plaisir de vous retrouver. Alors, allons-nous assister à une nouvelle mort ? Cela ne ferait que trois enterrements pour un baiser chaud bouillant. Je vous rappelle que, pour provoquer MacGregor, Carmilla a légèrement léché les amygdales de Gabriel. Et on adore ! Trois enterrements, je vous vois compter sur vos doigts. Mais de qui parle-t-on ? Est-ce que le bel Ethan est encore parmi nous ? Vous voulez le savoir, alors je ne vais pas vous faire patienter plus longtemps… Place à nos candidats préférés ! »

Épisode 9

Vous pensiez vraiment que nous allions rendre visite à nos candidats originels ? Eh bien non, le suspense sur la mort d'Ethan reste entier. Nous allons d'abord voir le retour de MacGregor auprès de ses amis. Étrangement, il arrive en sifflotant, comme s'il revenait de courses. À son départ, tous paraissaient inquiets de sa réaction, notamment pour le pauvre Severn, mais il semblerait que pousser au meurtre une jeune chamane ait des vertus apaisantes. Par contre, les trois autres vampires n'en mènent pas large. Ils doivent avoir l'habitude des sautes d'humeur de leur patron. Grégoire finit par craquer et lui demande :

— Alors, qu'est-ce qui s'est passé ?

— J'en ai exécuté deux autres !

— Qui ? questionne Severn, feignant à peine l'angoisse dans sa voix.

— Ça t'intéresse vraiment ? Tu es de quel côté, toi ?

— Je veux juste savoir qui tu as tué, c'est tout !

— Bibu est mort, tu avais raison. Ils étaient très impactés par la mort de leur ami. Ils ne m'ont même pas entendu arriver, ces tocards.

— Je te l'avais dit, MacGregor, lance Severn pour se redonner une contenance. Ils sont trop sentimentaux.

— Oui, c'était comme regarder une télénovela entre les larmes et les discours d'un prof d'EPS à la retraite. Ils sont si ridicules. Bref, je n'ai eu qu'à retourner la pierre de la corruption. C'est la chamane qui la détenait depuis tout ce temps. Il ne m'a fallu que quelques minutes pour la corrompre, et depuis, je les observe dans leur joli petit camp. Carmilla m'a provoqué et j'ai un peu perdu mon sang-froid. J'ai obligé la chamane à tuer un loup, le plus jeune.

— Ethan, lance Severn !

— Oui, un nom comme ça. Bref, sa vie n'avait que peu d'importance de toute façon. Elle l'a transpercé de part en part avec la machette, vous auriez dû voir leurs têtes. J'ai cru que j'en mourais de rire.

— Pourquoi ne nous as-tu pas conviés au spectacle ? se plaint Angel.

— Parce que c'était un show privé, ma chère, lance MacGregor avec toute sa supériorité.

Celle-ci se tasse un peu puis sourit l'air de rien. Il reprend :

— Carmilla a très vite compris ce qui se passait, sauf que Lévana s'est empressée de tuer la chamane en la pendant avec ses lianes. Je n'aurais pas pu espérer mieux comme spectacle. Décidément, je regrette presque de l'avoir libérée, cette petite. Je crois que c'était l'une des meilleures esclaves que j'ai eues.

— Elle a du sang royal, c'est en partie pour ça, lance Grégoire.

— Oui, c'est décidé, on ne la tue pas. Si Carmilla ne veut pas rentrer avec moi, alors je repartirai avec Lévana et ferai d'elle ma nouvelle femme.

Angel est à deux doigts de s'étouffer et réprime un haut-le-cœur. Grégoire ne peut s'empêcher de lui faire la remarque.

— Dommage ! Tu ne seras jamais une option pour le patron. Mais te voir espérer et t'accrocher aux branches est juste divertissant et tellement pathétique. Tu me ferais presque pitié.

— Ta gueule, on t'a pas sonné.

Grégoire rit de bon cœur, accompagné de MacGregor qui observe son ami et lui fait signe qu'elle n'a aucune chance. Même Severn ne peut retenir son rire. La jeune femme lui lance un regard noir, il s'arrête expressément. Mais c'est déjà trop tard, elle lui hurle de venir et commence à le matraquer de coups sans qu'il puisse se défendre. Le voilà transformé en punching-ball pour madame. MacGregor et Grégoire contemplent la scène en riant tout en sirotant une bonne poche de sang.

Oh, mon Dieu, que ces êtres sont abjects ! Vous avez vu comment ils traitent la pauvre Lévana ? Cela me donne la nausée, mais en même temps, elle a plus de chances de perdurer dans ce jeu qui s'appelle aujourd'hui *Treize, qui survivra à MacGregor ?* Je vais arrêter de vous faire languir, il est temps de retourner sur le camp et de vous raconter tout ce qui se passe.

Ethan est toujours secoué de soubresauts, il a du mal à respirer et son pronostic vital est clairement engagé. Gabriel lui tient la tête et tente de l'apaiser, mais le jeune homme ne semble plus sensible à ses efforts. Il murmure :

— J'ai froid… je crois…

— Non ! Je te l'interdis, hurle Gabriel.

Lucas agrippe la main de son ami et les larmes ne cessent de couler. C'est beau un homme qui pleure et, contrairement à ce que beaucoup pensent, la gent féminine n'y est pas insensible. Alors, messieurs, laissez aller vos émotions, promis, on ne vous traitera pas de bébés. C'était une petite parenthèse de parole de fée. Reprenons.

June observe la scène et crie à Lévana de les rejoindre rapidement. Hélas, celle-ci paraît paralysée par d'autres démons, ceux de la culpabilité. Elle vient de tuer quelqu'un et il semblerait que ce soit son premier meurtre, ce qui est plutôt rare chez les nombreuses espèces présentes. La jeune femme est en train de rendre son déjeuner alors que Carmilla regarde le cadavre de Thya, pendu comme une vieille chaussette. Qui aurait cru au début de l'aventure que Bibu et elle, arrivés main dans la main, mourraient le même jour ? C'est presque poétique, vous ne trouvez pas ?

Carmilla rejoint la sorcière des bois, qui vomit, pleure et gémit. Je n'ai jamais vu autant de morve sur un visage, c'est répugnant. La vampire n'ose même pas la toucher, et je doute que ce soit la bonne personne pour l'apaiser. Elle lui hurle :

— Pourquoi ? Il fallait attendre, nous aurions pu la raisonner, la faire revenir parmi nous.

En effet, ce n'est pas la phrase qui l'aidera à surmonter sa culpabilité. Lévana lève les yeux, regarde le cadavre et recommence à vomir, gémir et pleurer. On dirait un aloe vera à qui on aurait enlevé sa pulpe, si vous voyez ce que je veux dire.

Ayden, toujours en loup, s'approche d'elle, et la jeune femme finit sur les fesses, complètement apeurée. Il reprend sa forme humaine sous un « pop ! » et, mesdames, il est l'heure de se rincer l'œil. Surtout pour celles qui sont abonnées à la chaîne… version non censurée ! Il lui pose une main sur l'épaule et lui dit :

— Je t'en supplie, il faut que tu reprennes tes esprits. Nous avons besoin de toi pour sauver Ethan. Tu connais les plantes et l'anatomie. Il va mourir si…

La jeune fille se penche et recommence à vider le contenu de son estomac. Non, mais vraiment, elle n'a plus de limites. Carmilla dit à Ayden :

— Va rejoindre tes amis, je reste avec elle. Je ne peux pas m'approcher, il y a beaucoup trop de sang et j'ai faim.

Le métamorphe semble hésiter entre laisser sa nouvelle petite amie avec son ancêtre affamée ou retrouver son ami sur le point de mourir. Il décide de faire confiance à Carmilla et court vers les autres candidats. Derek arrive avec un énorme morceau de bois dont le bout contient une braise. Il regarde Gabriel et lui dit :

— Si on cautérise la plaie, tu penses qu'il reprendra sa cicatrisation rapide ?

— Non, c'est un organe qui est touché. Il faut arrêter l'hémorragie, mais pas de cette manière. C'est à l'intérieur.

Soudain, June bouscule tout le monde et jure comme un charretier.

— Poussez-vous, bande d'incapables. Il y a beaucoup trop de morts dans cette émission et j'en suis en partie responsable. Alors, que les fées me bannissent, c'est le dernier de mes soucis, et tant pis si je perds mes ailes. Qu'ils aillent tous se faire cuire un œuf !

Je suis choquée par sa vulgarité. Pour une fée, se faire cuire un œuf est l'équivalent d'une expression beaucoup plus vulgaire dans le monde commun. Je vous laisse deviner laquelle. Elle plonge sa main dans la poudre de fée. Non ! Elle ne va pas faire ça ?!

Elle hésite un instant, mais le pauvre Ethan est sur le point de rendre son dernier souffle. Alors, elle farine tout son corps de poudre de fée et joint ses mains en prière.

— Que toutes ses plaies se referment et qu'il ait une santé de fer.

Rien ne se passe… Ethan est mort, les secondes semblent des heures, quand soudain, il se redresse brusquement et avale une gorgée d'air, comme une femme trompée par son mari se jette sur un pot de glace au chocolat. Il regarde les autres autour de lui et balbutie des mots incompréhensibles. La peur se lit sur son visage. Gabriel le prend contre lui et tente de le rassurer, en vain. Il finit par s'endormir en quelques minutes, poussant des gémissements tel un petit chiot apeuré.

Mais comment a-t-elle pu oser faire cela ? Ce n'est pas une règle qu'elle a transgressée, c'est tout un code d'honneur mettant en danger tout notre peuple. J'espère qu'on lui coupera les ailes et qu'elle sera bannie dans le monde des humains. Cette fée ne mérite plus la place qu'elle occupait au sein de notre peuple. Elle vient de commettre une ignominie. J'ai toujours su qu'elle prendrait la grosse tête, il faut dire qu'elle a été surprotégée par notre roi. Pourvu qu'il soit intraitable avec elle.

NOUS COUPONS NOTRE PROGRAMME POUR UNE PAGE DE PUB. NOUS RETROUVERONS JUDITH MIKELSON DANS QUELQUES MINUTES.

Je vous prie de m'excuser pour mon comportement inapproprié. Je me suis laissé emporter, et cela ne se reproduira plus. Mais je vous dois une explication. June a commis le plus grand crime pour le peuple de fées. Nous ne sommes pas la source du pouvoir et nous ne pouvons pas décider qui doit vivre ou mourir. C'est contre-nature et cette loi est ancestrale. J'ai laissé mes émotions m'emporter. Reprenons le programme, je vous prie.

Ethan s'est endormi, mais la souffrance ne semble pas l'avoir quitté. Il tremble, se tient le ventre et gémit dans son sommeil. June reste auprès de lui avec Lucas.

Gabriel remercie la fée et lui promet qu'il honorera sa dette envers elle. Ce ne sera pas suffisant, sachant que June va certainement perdre ses ailes. D'ailleurs, elle en prend conscience puisqu'elle les regarde avec tristesse. Elle hausse les épaules puis tombe dans les bras de Lucas. Elle murmure :

— Si on sort de cette île maudite, ils me couperont mes ailes.

— Pourquoi ?

— J'ai commis un acte atroce en sauvant Ethan. En toute sincérité, je ne le regrette pas et je le referais si la question se posait. Tout est de ma faute. Vous êtes ici à cause de moi.

Lucas la serre contre lui et lui caresse le dos tout en la rassurant.

— Ne dis pas ça ! Tu voulais faire une émission où nous devions survivre ensemble. Le but est réussi. Mais il n'a jamais été question qu'un vampire psychopathe arrive pour récupérer une femme comme un vulgaire objet, de tuer un être juste pour sa race. Tu as révélé le complot qui visait à génocider tout un peuple. Tu n'es aucunement responsable des autres candidats et de ce qu'ils font. Je te remercie d'avoir sauvé mon ami, je serai là pour toi, toute ma vie. Personne ne s'en prendra à toi.

Regardez-le, le petit malin. Il est en train de se placer. Le roi des fées doit en avaler ses propres ailes. Interdiction de fricoter entre espèces différentes. L'alpha des alphas a dû mourir. Il ne se cache plus et avoue clairement qu'ils vivront ensemble pour toute leur vie. Allez, je dois vous dire qu'une réunion entre les deux chefs de peuple est prévue tard dans la nuit. Eh oui ! Cette émission a soulevé des lièvres qu'il va falloir traiter. On m'a aussi dit qu'une certaine cheffe de famille de sorcières des bois serait conviée. Cela bouge, même chez les politiques. Par contre, la menace du loup me fait bien rire, il a oublié qu'il n'a aucunement le droit de se soumettre aux lois, tout comme June. Il devrait apprendre à rester à sa place, si vous voulez mon avis.

Lévana est toujours dévastée. Incapable de reprendre pied, elle alterne entre larmes et vomissements. Ayden la rejoint en voyant son ami revenir à lui mais, malgré ses paroles rassurantes, rien ne change. Carmilla n'a pas arrangé les choses en lui expliquant que la chamane n'était pas vraiment elle-même et qu'il y avait une possibilité qu'elle retrouve ses esprits. On adore la sincérité à toute épreuve de cette femme, mais un petit mensonge de finesse n'a jamais tué personne. On ne peut pas en dire autant de la vérité. Gabriel les rejoint et se précipite sur Carmilla, mais ce n'est pas pour l'embrasser. Il lui attrape les épaules et lui hurle :

— Je ne serai pas ton instrument pour le rendre jaloux. Ne me refais jamais ça.

Tiens, tiens, tiens, l'alpha ne souhaite pas être instrumentalisé. J'en connais qui n'hésiteraient pas à passer la nuit avec la dame. Il faut dire que, en quelques centaines d'années, elle doit avoir une expérience hors du commun, si vous voyez ce que je veux dire. Pour la première fois, la reine des vampires de Bourgogne ne semble pas très à l'aise. Elle baisse la tête et murmure des excuses. Il la lâche et rejoint Ayden sans même un regard. On peut avoir des centaines de vies, quand on est penaud, il n'y a rien à faire. La culpabilité de Carmilla se lit sur son visage alors qu'elle regarde

Gabriel s'éloigner. Lévana hurle en pleurs en observant la conséquence de son acte. Gabriel bouscule Ayden et lui administre une claque. Elle cesse immédiatement de pleurer, et l'alpha lui lance avec autorité :

— C'est horrible ce qui vient de se passer. Je respecte ta détresse d'avoir tué pour la première fois. Mais je suis dans le regret de t'annoncer que tu n'as pas le temps de te morfondre. On a un tueur psychopathe qui nous bute les uns après les autres. Il va falloir riposter. Alors, tu vas me descendre ce cadavre pour qu'on le brûle. On lui rend hommage comme il se doit, comme on l'a fait pour les autres et, ensuite, on met un plan en place pour éliminer un ennemi. Compris ?

Pour une fois, son discours n'est pas celui d'un coach sportif. D'ailleurs, il est efficace puisque la jeune fille se relève et lui lance un regard de défi. Elle lui administre une claque en retour et murmure :

— On est quittes. Je me suis juré que plus personne ne lèverait la main sur moi. Tu as raison, il est temps d'aller à la chasse aux vampires.

Elle ne le sait pas, mais MacGregor veut faire d'elle sa femme. La pauvre enfant, elle va devoir se battre plus que quiconque. Elle fait descendre le corps de Thya et retient un sanglot sous le regard de Gabriel qui serre les dents. Il lui dit :

— Tu peux pleurer, mais ne deviens pas hystérique.

— Ta gueule, lui lance-t-elle.

L'alpha ne peut réprimer un sourire alors qu'il tient le corps de la chamane. Derek, qui est resté près du camp, soupire en voyant le spectacle.

— Je ne suis pas un crématorium. Il va vraiment falloir faire quelque chose.

— Est-ce qu'on peut au moins lui donner les hommages qu'elle mérite sans se plaindre ? demande Lévana.

Elle ajoute à l'intention de la défunte :

— Je tiens réellement à m'excuser. Je te souhaite d'être libérée de cet envoûtement, ma sœur.

Elle passe une main sur le visage de son amie, et Gabriel la pose au sol. Derek a déjà réuni une boule de feu qu'il fait grossir entre ses mains. Il la lance sur le corps qui brûle à une vitesse folle. C'est comme si la forêt se mettait à pleurer, un vent souffle dans les arbres, créant une mélodie harmonieuse. Une complainte pleine de tristesse et d'amour. Il semblerait que les esprits de notre chamane soient venus lui dire adieu. L'écho envahit toute l'île, et même du côté du camp de MacGregor, on l'entend. Pour une fois, tous les candidats sont sur la même longueur d'onde. Les habitants gardent le silence. Ils écoutent ce chant de la nature d'une pureté incroyable. Nous ne sommes que peu de chose par rapport au monde des esprits, et ils viennent gentiment de nous le rappeler.

Comme vous avez pu le constater, l'épisode a été légèrement plus long que d'habitude. Est-ce un moyen de me faire pardonner l'interruption de nos programmes ? Cela ne vous regarde pas. Tout ce que je peux vous dire, c'est que les candidats originels vont frapper un grand coup demain, mais je ne vous en dirai pas plus. Il est temps que la peur change de camp, vous ne croyez pas ? Allez, vous connaissez la musique… La suite au prochain épisode !

Épisode 10

Judith Mikelson

« C'est un réel bonheur de vous retrouver pour un nouvel épisode de *Treize, qui survivra à MacGregor ?* Je vous ai promis un retournement de situation et vous n'allez pas être déçus. Je ne vais pas vous mentir, les gros titres sur mon "pétage de câble" dans les tabloïds m'ont quelque peu échaudée, alors je ne donnerai plus mon avis. Mais bien sûr que non ! Vous m'avez prise pour qui ? Je resterai moi-même, et tant pis si cela déplaît à certains. Au fond, je sais que vous m'adorez, sinon vous ne seriez pas des centaines de millions à me regarder derrière votre petit écran. Et si la vraie star du programme n'était que moi au final ? Je plaisante, bien sûr, place aux véritables célébrités… nos candidats… »

Épisode 10

Je ne vais pas vous faire attendre plus longtemps. Nos candidats, tous confondus, sont allés se coucher après cette soirée bien agitée. Je ne vais pas vous mentir, nos caméras ont tout autant roupillé, mais lorsque celles-ci ont repris une activité, nous avons eu la surprise de découvrir de nouveau un mort. Quoi ? Encore ? Mais ce n'est pas un peu trop ? Maintenant, c'est un par épisode ! Je vous vois trépigner d'impatience, mais qui cela peut-il bien être ? Allez, j'arrête de vous faire languir. Grégoire, l'un des bras droits de MacGregor, est empalé sur un tronc à l'entrée du camp. MacGregor contemple l'océan au loin et ne s'est aperçu de rien. Angel câline le pauvre Severn qui n'a pas l'air au mieux de sa forme. Lorsqu'elle le lâche et qu'il peut retrouver un semblant de liberté, il quitte le camp pour mettre un maximum de distance entre lui et l'enragée Angel. Il ne lui faut pas longtemps pour voir son ami – je ne sais pas si on peut le qualifier ainsi – mort en train de sécher au soleil qui pointe le bout de son nez.

— Merde ! Qu'est-ce qui s'est passé ?

Il donne l'alerte et les deux autres le rejoignent en une microseconde. Tout semble irréel, ils regardent la scène sans même avoir une seule réaction. C'est leur compagnon depuis des siècles qui est mort tout de même.

— Comment se fait-il qu'il ne soit pas redevenu poussière ? demande Angel.

— Car il a encore ce pieu dans le corps, mais quand nous l'aurons enlevé, il s'évaporera comme une flaque d'eau en plein désert. Les chasseurs de vampires connaissent cette particularité et veulent qu'on le voie ainsi. Carmilla doit être dans le coup, explique MacGregor.

— Je ne suis pas certain qu'elle le sait. Elle a toujours exécuté les siens avec sa dague.

— Ce n'est pas faux, mais il y en a bien un dans le lot de tocards qui doit le savoir. S'ils imaginent que cela va m'affecter, ils se mettent le doigt bien profond où je pense. Angel, retire-le de ce putain de tronc.

Il se retourne et se dirige vers son banc improvisé. Il s'allonge et observe le lever du soleil, comme s'il ne s'était rien passé. Mais d'ailleurs, que s'est-il réellement passé ? Même nous, nous n'en savons strictement rien, et c'est déconcertant. Est-ce que MacGregor aurait un traître ? J'en doute. Qui oserait ? Est-ce que les candidats du camp ont fait une sortie nocturne ? On a beau regarder les rushs, rien ne nous laisse penser cela. Est-ce que les esprits qui accompagnaient Thya la chamane ont décidé de se venger ? Tout ce que je peux vous montrer, c'est que, dans la pénombre, Grégoire s'écroule subitement sur le tronc. Bien évidemment, Angel est en train de hurler à Severn des ordres pour sortir Grégoire de son arbre de mort. Il tire, et le cadavre se transforme en poussière dans les mains de Severn qui fait une moue de dégoût. Cela ne doit pas être agréable d'avoir les cendres de son camarade sur soi. Angel est pliée de rire et le montre du doigt, comme si un clown venait d'effectuer sa meilleure blague. Mais comment peut-on être aussi cruel ? La disparition de leur ami ne leur a provoqué aucune émotion. Ces gens sont détestables. Après deux bonnes heures, MacGregor s'étire et annonce aux deux autres :

— Je ne voudrais pas passer pour un faible. Allons leur rendre une petite visite matinale. Je suis sûr qu'ils seront enchantés. Angel, tu peux tuer tout le monde sauf Lévana. Je désire la récupérer.

Il s'approche des deux vampires, la jeune fille sautillant et ne pouvant cacher son excitation. Elle se jette sur le dos de Severn qui regarde le plus vieux vampire d'Europe dans les yeux. Celui-ci lui lance :

— Fais attention, je t'ai à l'œil, Severn. Au moindre doute, tu deviendras la chose d'Angel.

La menace est réelle. MacGregor doit sérieusement avoir des doutes sur Severn, mais celui-ci ne se démonte pas et lui dit :

— Si c'était moi, c'est elle que j'aurais liquidée.

Angel lui tape sur la tête en lui criant :

— Pas gentil, pas gentil.

Puis elle se met à rire, tout en lui ordonnant de rejoindre le camp des autres candidats. Severn s'exécute et disparaît, suivi de MacGregor.

Sur le camp, tout le monde semble encore endormi, sauf les candidats de garde. Autant vous dire qu'ils ne se cachent plus. Nous avons observé une partie de la nuit Lévana et Ayden se faire des papouilles. Les plus médisants expliqueront que le métamorphe console la sorcière des bois. Puis nous avons eu Lucas et June. La communication ne devait pas être simple, ils avaient tous les deux leur langue fourrée dans la bouche de l'autre. Et en ce moment même, ils dorment enlacés. Je vous ai gardé le plus croustillant pour la fin : Carmilla et Gabriel. Je vous propose de les observer pendant leur surveillance. Qu'en pensez-vous ? Je vous vois vous frotter les mains comme un politicien véreux ayant reçu son pot-de-vin.

— Tu fais la tête ? demande Carmilla.

— Non, répond Gabriel.

— Pourtant, on a commencé notre garde il y a une heure et tu n'as pas prononcé un seul mot. Je t'ai connu plus loquace.

— Je déteste la manière dont tu te sers de moi devant MacGregor.

— Tu n'as pas aimé ça ?

Elle l'observe avec un sourire coquin sur les lèvres. Il lève les yeux au ciel puis passe un bras autour de son cou.

— Nous ne devrions même pas nous rapprocher, surtout avec les caméras braquées sur nous.

— On ne sait pas si l'émission marche. Peut-être que personne ne nous regarde.

Elle a toujours cet air aguicheur qui ne semble pas déplaire au loup. Ses yeux luisent sous la lumière de la lune, et ce n'est clairement pas de la colère, mais plutôt de l'envie. Attention, la reine des vampires, vous pourriez rencontrer un autre bête. Après tout, elle aime peut-être ça. Il reprend :

— Tu sais que je vais avoir des problèmes ici, tout comme Lucas et Lévana.

— La petite fée est beaucoup moins prude que je ne le pensais et ils ne se cachent pas. Par contre, je ne vois pas les problèmes de Lévana.

— Je t'en prie, avec Ayden, ils se tournent autour depuis des jours.

Carmilla semble moyennement apprécier le rapprochement de son descendant avec la sorcière. Sa tête démontre une contrariété qui fait rire Gabriel. Il lui attrape le visage et la regarde dans les yeux, elle se laisse faire. Il s'approche suffisamment pour lui susurrer :

— Et si nous nous embrassions sans provoquer personne ?

Elle se passe la langue sensuellement sur les lèvres, mais vous vous en doutez, quelqu'un frappe à la porte, enfin à la lisière de la forêt. Nous n'aurons pas de scène torride, car Carmilla se lève brusquement et lui chuchote :

— Ils sont là.

— Je les ai sentis aussi.

Une voix douce retentit, presque mélodieuse.

— Ne les réveille pas et je ne tuerai personne.

Carmilla serre les dents et Gabriel lui murmure :

— Nous ne sommes pas prêts à les affronter tous les trois. Il le sait et il joue là-dessus.

— Je veux que tu restes dans le camp. Il ne me fera rien.

Alors qu'elle se lève, il l'accompagne en guise de réponse. Elle sort de son décolleté la pierre noire comme l'ébène. MacGregor la voit immédiatement et grince des dents. Angel lui dit :

— Un mot de ta part, patron, et je cours la lui arracher de ses sales doigts crochus.

— Non ! Je n'ai qu'une parole. S'il ne donne pas l'alerte, alors nous ne tuerons personne. Tu sais l'importance que j'accorde à ma parole.

Clairement, son message est destiné à Gabriel. Il lui a promis à plusieurs reprises d'abattre l'alpha et de le faire souffrir avant. Carmilla s'arrête à bonne distance des trois vampires. Gabriel annonce :

— J'aurais tellement voulu être sous ma peau de loup. Il m'aurait suffi d'une morsure pour te voir à l'agonie pendant de longues heures.

— Ne le provoque pas, mon amour, lance Carmilla avec un sourire malveillant peint sur le visage.

MacGregor ne mord pas à l'hameçon, il hausse les épaules, l'air complètement détaché. Mais il en faut bien plus pour désarçonner la reine des vampires de Bourgogne qui lui dit :

— Je suis là ! Qu'est-ce que tu veux ?

— Je vois que tu tiens le cadeau que je t'ai offert tel un trophée. Je dois encore hanter tes nuits, et pas comme un fantôme, plutôt comme l'amant parfait que je suis.

— Tu es pathétique et je dois dire que le loup m'apporte bien plus de satisfaction. Il est plus sauvage.

Gabriel ne peut s'empêcher de rougir alors qu'Angel hurle en tapant dans ses mains.

— Patron, je pourrais jouer avec un loup avant de le tuer, s'il te plaît, dis oui.

MacGregor lève les yeux au ciel avant de lui ordonner de se taire, de manière beaucoup moins polie.

— Je te demande encore une fois, pourquoi tiens-tu mon humanité comme un trésor ? Tu penses que cela m'arrêtera ?

— Non ! Mais je veux te rappeler celui que tu étais avant de piéger ma fièvre de la soif avec le peu d'humanité qu'il te restait.

— Justement, Carmilla, je te trouve bien ingrate, quand on sait le sacrifice que j'ai fait pour toi. D'ailleurs, si je suis un monstre, c'est en partie de ta faute. Te souviens-tu de la personne que tu étais avant ? Le sort qui a créé ce bijou t'a permis de vivre en paix. Ta mémoire te fait-elle défaut ?

Elle baisse la tête et marque un temps d'hésitation. Gabriel lui pose une main dans le dos et lui murmure :

— Ne le laisse pas entrer dans ta tête. Ce que tu as fait il y a des centaines d'années ne compte pas.

— Je vois, tu t'es bien gardée de lui raconter qui tu es vraiment. Rappelle-moi quel était le sang que tu préférais quand je t'ai transformée. Severn, peux-tu répondre ?

— Le sang des enfants, et tu as commis des massacres dans un nombre incalculable d'orphelinats pendant tes fièvres de la soif. Tu es un monstre, Carmilla, et tu sembles l'avoir oublié depuis que tu portes ce bijou.

Les veines autour des yeux de Carmilla ressortent, tandis que ses yeux luisent telles des braises ardentes. Ses canines sont sorties et elle feule comme une tigresse enragée. Elle est en position prête à passer à l'attaque, mais Gabriel la retient par la main.

Elle se tourne pour le mordre, mais en le voyant, elle retrouve son visage si angélique. Elle lui tombe dans les bras et lui dit :

— Il m'affamait tout en sachant ce que je ferais pour survivre. Je ne pouvais plus me regarder et je voulais me tuer, alors il m'a pris ma noirceur pour m'empêcher de mettre fin à mes jours et l'a mélangée avec son humanité. Il a gardé cette pierre sur lui, me menaçant de faire revenir le monstre en moi si je ne restais pas avec lui. Voilà pourquoi elle est néfaste. Quiconque la tient se trouve à sa merci, sauf moi. C'est ma noirceur, mon pouvoir qui lui permet de maîtriser les autres. Il s'est servi de moi pour assouvir ses noirs desseins.

MacGregor applaudit bruyamment avec un sourire mauvais sur le visage. Il s'avance en direction des deux tourtereaux en leur disant :

— C'est si facile de m'accuser de ta cruauté, mais tu me prêtes beaucoup de pouvoirs que je n'ai pas. Tu es un monstre de manipulation et tu l'as toujours été. Gabriel, veux-tu savoir comment j'ai su pour l'émission et l'île ? Ce n'est pas un courrier anonyme, bien au contraire, mais un message de ta chère et tendre. Elle me promettait de trouver un métamorphe pouvant être mon descendant. Si tu penses…

— Ta gueule ! Tu crois que ton nom ne circule pas chez les loups. On sait tous qui tu es, et je vois que tu mens. Tu veux faire passer Carmilla pour la méchante et sortir d'ici en ayant blanchi ton nom. Tu pourras ensuite retrouver toutes tes petites combines comme la prostitution des sorcières. Tu rêves si tu penses que je vais gober tes conneries.

— Et d'ailleurs, personne ne te croira ! lance Ayden.

Le jeune homme s'est approché sans bruit. Comment les vampires ne l'ont-ils pas senti ? Même Carmilla semble surprise. MacGregor recule et rejoint son clan qui cherche à droite et à gauche pour voir d'où il a pu sortir. Ayden les regarde et dit :

— Vous ne connaissez pas la particularité de ma famille, on sait se rendre indétectable au sens des vampires.

— C'était donc toi ! Tu es venu nous rendre visite, dit Angel. Je veux l'abattre, patron.

— En effet, j'ai visité votre camp déguisé en souris. Je pensais te tuer, toi, mais les souris n'ont pas la meilleure des vues. Tu as de la chance, mais je te conseille de surveiller toutes les petites bêtes qui se cachent dans l'ombre. En attendant, ton pote est mort.

Il pointe son doigt vers MacGregor et le menace :

— Je vous exécuterai tous, et tu seras le dernier. Pourquoi ? Tu dois le savoir, non ? Après tout, on a les mêmes gènes.

— Je vois ça et je dois dire que je suis admiratif. Je suis si fier de toi, mon fils.

Ayden se fige, une lueur de vengeance anime ses pupilles, et il n'en faut pas moins à MacGregor pour tenter d'entrer dans son esprit. Il reprend :

— Voilà ! J'aperçois dans tes yeux cette cruauté familiale. J'ai observé la même chose chez Carmilla. Tu l'as dans ton sang comme moi, comme elle. Rejoins-moi, mon fils, et nous dominerons le monde des surnats.

Et voilà ! Nous savons comment Grégoire est mort. Par contre, Ayden a bien caché son jeu. Il ne l'a dit à personne et Lévana a réussi à tromper nos caméras pour que nous ne nous rendions compte de rien. En même temps, c'est un plan de génie. On peut dire ce qu'on veut, mais la malice est aussi dans la génétique. C'est affreux d'annoncer ça de cette manière, et je ne le pense en aucune façon, mais tout de même. En tout cas, je me doute que vous désirez savoir la suite de leur conversation. Tout ce que je peux vous dire, c'est qu'ils vont en venir aux mains. Allez, je vous laisse saliver… vous connaissez la rengaine… La suite au prochain numéro…

Épisode 11

Judith Mikelson

« Bonjour à toutes et à tous, je suis si heureuse de vous retrouver pour ce nouvel épisode. Vous avez hâte, je vous vois comme les spectateurs de l'arène à l'époque romaine, hurlant "DU SANG, DU SANG…" devant des gladiateurs prêts à en découdre. Vous trouvez cela barbare ? Et pourtant… En effet, la comparaison n'est pas faisable, vous vous cachez tels des couards derrière vos écrans. Est-ce pire ? Je vous en laisse seuls juges. Après tout, je ne suis qu'un rouage de la machine et je ne serais pas là si vous n'étiez pas si nombreux suspendus à vos télécommandes. J'adore tellement vous mettre à mal. Notre relation est si… intense. Allez, il est temps de se divertir et de regarder nos candidats se battre. Est-ce que ce sera jusqu'à la mort, comme dans les temps anciens ? »

Épisode 11

L'arrivée d'Ayden et ses révélations ont quelque peu désarçonné notre petit groupe de vampires qui l'observent, inquiets. Par contre, la colère gronde parmi nos candidats originels. Gabriel questionne du regard Ayden, qui baisse les yeux devant son alpha. Carmilla est moins patiente et lui demande :

— C'est vrai ce que tu racontes ? Tu es allé seul dans leur camp ?

On dirait un garçon se faisant réprimander par sa maman. Il hoche la tête et regarde ses chaussures. Elle poursuit :

— On en reparlera plus tard !

Elle fixe MacGregor qui tend une nouvelle fois la main vers Ayden.

— Je me permets d'insister, mais tu devrais me rejoindre. Après tout, c'est la seule solution pour sauver tous tes amis. Je te veux à mes côtés autant que la sorcière des bois.

En entendant cette phrase, Ayden hurle de toutes ses forces pour sonner l'alerte, et en moins de temps qu'il ne faut pour le dire, tout le monde se précipite. MacGregor sourit et lance à Carmilla :

— Il a donné l'alerte, on va devoir se battre.

Mais il n'a pas le temps d'en dire plus, car Derek est en train de séparer des boules de feu qui tournoient autour des vampires. Le sorcier est très concentré et de la sueur perle sur son front. Lévana met en garde les autres, il ne tiendra pas indéfiniment. D'autant qu'il doit éviter les trombes d'eau que tente de manipuler Severn. Enfin, ses attaques sont grossières et manquent terriblement de précision. On dirait un enfant jouant avec un pistolet à eau face à des flammes incendiaires.

D'ailleurs, plusieurs d'entre elles atteignent Angel qui les esquive en regardant Severn d'un mauvais œil. Pourtant, Severn devrait être beaucoup plus puissant et l'eau est clairement supérieure au feu. Derek ne vacille pas et continue ses attaques contre les deux vampires. MacGregor s'est décalé et observe la scène, soudain il s'énerve.

— Vous êtes sérieux tous les deux. Fini de faire joujou et butez-moi ce sorcier.

En quelques secondes, Angel a disparu et réapparaît derrière Derek pour lui donner le coup de grâce avec sa machette. Je n'aurais jamais cru dire cela un jour, mais elle n'est pas assez rapide, Lévana fait pousser une liane qui envoie le sorcier à plusieurs mètres de haut. Angel hurle de frustration et s'élance vers la jeune femme. MacGregor se téléporte devant la sorcière des bois qui, surprise, laisse tomber le pauvre Derek de plusieurs mètres. June le rattrape dans les airs et réussit à amortir sa chute. MacGregor caresse le visage de Lévana, puis se tourne vers Angel qui a toujours la machette levée.

— Tss Tss ! Qu'est-ce que j'ai dit ? On ne touche pas à la belle Lévana ! Ne m'oblige pas à te réduire en poussière.

Angel s'éloigne pour retourner près de Severn, non sans quelques mots d'oiseaux cités au passage. Elle balance une grande gifle au pauvre vampire qui n'a rien vu venir, et lui lance :

— Severn, on se casse ! Il n'a qu'à jouer tout seul puisqu'on n'a rien le droit de faire. Je fais tout pour lui, je lui donne tout, mais rien ne sera suffisant face à des filles pleines de pouvoirs.

Severn se relève agacé, il jette un œil à MacGregor qui rit alors qu'il pose un tendre baiser sur la joue de Lévana. Ayden hurle toute sa rage et sa colère, puis lance :

— Tu as gagné, je vais avoir cette discussion avec toi, mais je veux que tu laisses la sorcière des bois tranquille.

— Et en plus, il a les mêmes goûts que moi pour les femmes.

Il n'a pas le temps d'aller au bout de sa réflexion, car Lévana sort un pieu de sa ceinture et tente le coup ultime sur MacGregor qui arrête son bras.

— Tu devras être plus rapide si tu envisages d'avoir l'ombre d'une chance. J'ai hâte que tu rentres au manoir, ma belle.

MacGregor disparaît pour réapparaître à quelques mètres de Carmilla et Gabriel.

— On dirait que j'ai gagné, je vais avoir ma discussion. Je reviendrai vers vous plus tard. N'oublie pas, petit chiot, je tiens toujours mes promesses et je te ferai regretter de mettre tes sales pattes sur mon ex-femme. En effet, Carmilla, tu vas mourir, j'aime beaucoup le goût des bois et je suis sûr que Lévana fera une épouse délicieuse.

Il disparaît, laissant nos candidats à bout de nerfs, mais en vie. Carmilla est la première à réagir et elle se tourne vers Ayden, folle de colère.

— Mais tu es complètement irresponsable. Quelle idée t'a pris d'aller sur leur camp les tuer ? S'il t'avait repéré, tu aurais été déchiqueté en moins de temps qu'il ne faut pour dire ton nom. Sous ses airs de roi, MacGregor ne contrôle pas toujours les pulsions de ses vampires, et c'est ce qui l'amuse chez lui, car ensuite il peut les punir.

Elle se tourne vers Lévana, qui aide le pauvre Derek encore perturbé de sa chute, et s'avance vers elle, le doigt en l'air.

— Quant à toi, jeune fille, tu aurais dû nous avertir à la seconde où il t'a parlé de son plan.

Elle baisse les yeux, mais ce n'est pas le cas d'Ayden qui vient s'interposer. Il lui lance avec un ton glacial :

— Tu n'es pas ma mère et il est encore moins mon père. Reste à ta place ! Je suis libre de faire ce que je veux.

Elle se fige puis comprend son imprudence. Lévana s'approche d'elle et lui dit avec une voix douce et calme :

— Je n'étais pas d'accord, mais il avait de bons arguments. Nous en avons parlé longuement avant qu'il parte. Nous avons eu de nombreuses taupes de MacGregor et le doute subsiste encore. Nous ne voulions pas que les gens apprennent pour notre mission, ainsi nous avions plus de chance de réussir. Ne nous en veux pas, mais nous ne sommes pas là que pour vous regarder avec Gabriel.

Ayden et Lévana retournent au camp. June cherche autour d'elle et demande :

— Est-ce que quelqu'un a vu Ethan ?

— Il n'est pas venu, lance Lucas. Il est dans la cabane, en boule, et se balance. Je n'ai pas insisté, car il semble souffrir énormément.

June ne le laisse pas finir sa phrase et s'envole pour passer au-dessus des balustrades et se diriger à une vitesse folle vers Ethan. Celui-ci est en boule vers le coin de la cabane, murmurant quelque chose d'incompréhensible. Est-ce qu'un loup peut avoir peur ? En tout cas, ça en a tout l'air. June se précipite vers lui et le questionne sur d'éventuelles douleurs, mais c'est comme si le jeune homme n'était pas présent dans la pièce avec eux. Il a les yeux révulsés et se tient les oreilles. Gabriel regarde Lucas, inquiet. On n'a pas besoin de savoir ce qu'il pense, on le sait déjà. Carmilla les observe, elle aussi a compris ce qu'il va se passer. Gabriel s'approche doucement d'Ethan, mais June se plante devant lui avec les mains sur les hanches et les ailes rouges de colère.

— Je ne te laisserai pas faire. Il y a eu assez de morts. Il n'est pas un danger pour nous, il suffit de le regarder. Il est simplement apeuré.

— Un garou qui perd la raison doit mourir. Tu le sais, c'est notre loi. Les dangers sont trop grands.

Lévana rejoint June et bouscule l'alpha qui apprécie moyennement la chose. Il lui grogne dessus. Il n'en fallait pas moins à la sorcière pour lui lancer :

— En tant qu'alpha, on doit marcher sur des œufs pour te parler, te regarder. On ne peut pas te dire le moindre mot sans avoir la peur au ventre. Tu es certainement plus dangereux que lui, et pourtant, on ne t'achève pas. Alors tu vas gentiment garder tes distances jusqu'à ce que l'on comprenne ce qui se passe. Et puis, pour fricoter avec la vampire, tu te fiches de tes fameuses règles.

Lucas se place devant les filles, face à son alpha dont les pupilles scintillent d'agacement plus que de colère. Il lui dit :

— Elles ont raison et ne sont pas prêtes. Au moindre signe de danger, je le tuerai de mes propres mains.

— OK ! Je vais aller en surveillance.

Il s'éloigne, accompagné de la maîtresse vampire. Une fois loin des autres, elle lui murmure avec un soupçon de colère :

— Tu ne penses pas qu'il y a eu assez de morts ?

— S'il devient incontrôlable, ce n'est pas toi qui devras combattre un ami.

— Dans ce cas-là, tu me laisseras le tuer à ta place.

— Non, ils sont enragés, et s'il te mord…

— Arrête ! June a mis en jeu ses ailes pour le sauver, tu lui dois au moins quelques jours.

La conversation est écourtée, Derek court dans leur direction. Il ralentit et Gabriel lui fait signe qu'il peut approcher.

— Pardon, je ne voulais pas vous déranger, mais on doit faire le débriefing de ce qui s'est passé. Au passage, je suis désolé pour Ethan.

— Il n'est pas encore mort, lance Carmilla, agacée. Tu as raison, on t'écoute. Si tu es venu nous voir, c'est que tu as observé quelque chose.

— Oui, je combats Severn chaque fois. Tu nous as dit qu'il devrait gagner en puissance puisqu'il se nourrit de l'autre.

— En effet, il peut largement avoir plus de magie que la pauvre Artémis.

— Oui, eh bien je connais ses pouvoirs et je peux vous dire qu'il en est loin. Il suffirait qu'il éteigne le feu et je deviendrais un simple humain. Pourtant, chaque fois, il manque sa cible.

— Quoi ? Tu penses qu'il est de notre côté ? Tu rêves, je te rappelle qu'il a tué ta petite copine, ajoute Gabriel, énervé.

— Il a raison ! dit Carmilla. Il m'a transmis un message grâce à Bibu. Il veut que je le rejoigne à un endroit pour le saigner et lui donner du sang afin qu'il soit sous mon contrôle. Mais je refuse de l'aider. Il m'a trahie toutes ces années, et le fait qu'il devienne la chose d'Angel me va très bien. Et puis c'est trop tôt ; si MacGregor se rend compte de la supercherie, il lui fera payer autant à lui qu'à nous.

— Pourquoi tu ne nous as rien dit ?

— Parce que, sur ce foutu camp, il y a eu d'abord plus de taupes qu'il n'y a de sable sur la plage. Tu crois qu'on peut faire confiance à qui ?

— À tous ceux qui restent. On a tous une bonne raison de tuer ce bâtard de vampire.

— En attendant, gardez ça pour vous, compris ?

Les deux hommes hochent la tête, Carmilla les plante là et retourne près d'Ethan.

Et si nous allions voir ce qui se passe du côté de MacGregor ? Enfin, il me semble que la petite Angel a pris ses distances. Elle ne s'est pas rendue au camp, mais plutôt vers la jungle, et elle a très vite trouvé la clairière où l'aventure a commencé. Elle s'assied sur la souche d'arbre, tandis que Severn reste à ses côtés comme un piquet. Elle finit par rompre le silence.

— Pourquoi ne voit-il pas tout ce que je fais pour lui ? C'est tellement injuste. Je suis cruelle comme il aime, je réponds au moindre de ses désirs, et pourtant il a besoin de prendre une pauvre chose gentille et de s'amouracher d'elle.

— Le bien attire le mal, lance Severn. C'est comme deux forces que tout oppose, mais que l'univers veut assembler.

— Si je suis ton raisonnement, je suis attirée par lui donc je suis le bien.

— Non, tu n'es ni l'un ni l'autre. Tu es folle, c'est différent.

Elle se lève et s'apprête à le frapper, mais se ravise à quelques centimètres de sa joue. Elle le regarde dans les yeux puis se rassoit en boudant.

— Te taper ne me servirait pas à grand-chose. Je les hais tous, même lui. J'ai une idée, Severn. Si on s'enfuyait, toi et moi ? On les laisse se débrouiller avec la bande de tocards et on en profite pour se tirer.

— Tu veux échapper à MacGregor ? C'est comme tenter de fuir le soleil, il nous retrouvera et je n'ai pas envie de subir son courroux. Par contre, s'il apprend que tu en as eu seulement l'idée, je serai libre.

— C'est vrai, mais tu ne lui avoueras rien. Sinon je lui expliquerai que tu fais tout pour préserver le feu sur le camp des autres. Tu crois que je n'ai pas vu ton petit manège ? Tu évites de les mettre en difficulté et tu te contentes de jouer la défense. Si je n'ai rien dit au grand patron, c'est parce que tu t'arranges pour que je ne sois pas touchée par ses boules incendiaires.

Severn garde le silence, son mystère est percé à jour. Comment va-t-il se sortir de ce mauvais pas ? Est-ce qu'Angel ne lui tendra pas un piège ? Je peux vous dire que la partie d'échecs chez les vampires est lancée. Pour nos candidats originels, ce ne sont que les pions de l'échiquier, et vu comment ils se font croquer, je doute qu'il en reste encore beaucoup. On ne va pas se mentir, Ethan a très peu de chances de survivre. Gabriel ne le laissera pas devenir un loup incontrôlable. Enfin, vous connaissez ce qu'on dit, la suite au prochain épisode...

Épisode 12

Judith Mikelson

« Bonjour à toutes et à tous. Eh oui, hier, je vous ai quittés comme on arrache un pansement, brutalement, pour éviter la douleur. Mais je suis là aujourd'hui, pareille aux boutons d'acné sur le visage de l'adolescent boutonneux. Avouez-le, vous avez besoin de moi pour vous sentir vivre, surtout de la détresse de nos candidats. Vous êtes tels des succubes qui aspirent le désespoir pour vous nourrir. Je plaisante évidemment ! Je me demande ce qui se passe dans la tête d'Ethan et je crains fort que nous soyons désagréablement surpris. Enfin, si l'alpha Gabriel ne décide pas de sa mort. Eh oui, chez les loups, l'alpha a le pouvoir de vie ou de mort. Je ne vous raconte pas les économies sur les procès… il n'y en a pas.

À votre avis, est-ce que la petite Angel va déserter ou bien, au contraire, elle va retourner dans le giron de son patron ? Est-ce que tout cela n'est pas un test pour Severn ? Je vous pose la question, mais je n'ai aucune réponse. En tout cas, il est l'heure des réponses, enfin en partie… Place à nos candidats, place à notre épisode… »

Épisode 12

Nous retrouvons Severn et Angel, toujours dans la clairière à se regarder en chiens de faïence. Les deux vampires doivent être des joueurs redoutables au poker, car ils ne laissent rien paraître. Ils ont eu des centaines d'années pour se connaître, et ça contribue certainement à cette méfiance. Un sourire sadique étire les lèvres d'Angel, et elle tend le bras avec un air mauvais. Severn serre les dents, il tente de lutter face à l'appel de sa nouvelle maîtresse, en vain. Il se précipite sur elle et plante ses crocs dans les veines radiales. En ce qui concerne le bruit, cela ressemble à une personne mangeant une orange bien juteuse et aspirant le jus. Il ferme les yeux de contentement et continue son aspiration immonde. Angel s'installe confortablement et rapproche son bras pour que Severn pose sa tête sur ses genoux. Elle lui caresse les cheveux et lui murmure :

– Eh oui ! Je vais te rendre dépendant de moi. Severn, tu m'appartiens.

Le vampire ne répond pas et se contente d'aspirer encore et encore en faisant rouler ses yeux de plaisir. Ces images me donnent la nausée et nous permettent de mieux comprendre les relations toxiques. Cela me rappelle… Ah ! excusez-moi, on me fait signe d'enchaîner. Si on ne peut plus raconter sa vie devant des milliers de gens, je vous jure. Reprenons !

Angel retire subitement son bras et on voit les crocs et l'énorme ecchymose qui s'estompe à vue d'œil. Aussitôt, Severn se redresse, l'air dégoûté, tout en en redemandant. On dirait un ex-junky venant de se réveiller d'un mauvais trip. Le rire d'Angel est glaçant. Je ne souhaiterais pas l'avoir comme amie. Cette femme est le mal à l'état pur. Elle finit par arrêter de rire et lui tend le poignet en demandant :

— Tu en désires encore ?

Il se précipite et elle retire son bras, plaquant sa bouche sur celle de Severn et lui bloquant la tête pour l'obliger à l'embrasser. Quand elle relâche son étreinte, elle le questionne :

— Qu'espères-tu vraiment, Severn ? Tu voudrais rejoindre Carmilla, je le vois à ton comportement. Tu n'envisages pas de les tuer. Reconnais-le !

Il s'assied en tailleur face à elle et prend un air résigné. De toute manière, comment pensez-vous qu'il peut lui résister, il n'a aucune porte de sortie ? Il lui répond :

— J'étais vraiment attaché à Isabella, la louve. Je désire voir la mort de toute la meute. Mais MacGregor m'empêche de passer à l'action puisqu'il veut jouer avec l'alpha.

— Tu serais prêt à le trahir pour venger la mort de ta louve ?

— Oui, même s'il me torture après.

— Et tu le trahirais pour moi ?

— Non !

La réponse sonne comme un couperet du bourreau qui arracherait la tête de cette pauvre Angel. Pour une fois, son regard n'est pas fait de haine, mais d'une tristesse profonde, celle de la solitude. En même temps, elle ne peut pas espérer trouver son âme sœur si elle n'a pas d'âme. Vous ne pensez pas ? Elle reprend avec une sincérité que nous ne lui avons pas encore vue.

— Tu as plus de sentiments pour une morte que pour moi et MacGregor… Si Carmilla rappliquait à ses pieds, il se jetterait sur elle comme un chien sur une saucisse. En plus, une sorcière a plus d'importance que moi. J'aimerais juste ressentir une fois que j'ai de l'importance dans les yeux de quelqu'un.

— Mais tu en as pour moi, enfin ton sang.

— Tu te crois drôle. Je me confie à toi et tu trouves bon de me rabaisser.

— Angel, les gens sont avec toi uniquement par intérêt. MacGregor te tolère à ses côtés, car tu es cruelle et docile avec lui. Si demain tu refuses une de ses missions, je ne donne pas cher de ta peau. Il se sert de ton attirance pour te domestiquer. Au final, tu ne vaux pas mieux que moi avec ton sang. Combien de fois as-tu essayé de mettre de la distance entre lui et toi ? Et comment il te fait ramper à ses pieds ? Il suffit qu'il couche avec toi pour que durant une centaine d'années tu redeviennes sa chose.

Elle le regarde avec rage, mais elle ne le frappe pas. Il semblerait que les provocations de Severn soient sur fond de vérité. Elle se lève, Severn se protège, craignant de subir les coups causés par sa tirade. Elle lui tend une main et l'aide à se redresser.

— Je sais ce que je pourrais faire pour que MacGregor me voie. Je vais tuer Carmilla et tu vas m'épauler. En contrepartie, je t'aiderai à abattre les loups. Je n'ai jamais pu les blairer de toute manière.

Severn lui serre la main avec un air entendu. Il semblerait que les loups viennent de récolter une nouvelle ennemie, et elle n'est pas commode, si vous voulez mon avis. Quant à Severn, je n'arrive pas à savoir quel est son plan. Tout est flou et confus, il envoie un message pour tendre une main à Carmilla, et signe un pacte avec Angel. C'est à ne plus rien y comprendre.

Je vous propose de rejoindre le camp de l'amour. Quoi ? Je n'ai pas d'autre mot. Ils sont parqués comme des moutons dans une forteresse, elle ressemble à un hall de gare pour leur mort. Et mis à part les rapprochements physiques et les amourettes, je ne vois pas l'ombre d'un plan se dessiner. La seule offensive à laquelle nous avons assisté, c'est celle d'Ayden qui a tué Grégoire dans un acte de bravoure. Ils devraient arrêter de se bisouiller, et peut-être commencer à survivre. Mais cela n'a pas l'air au programme. June a aidé le pauvre Ethan qui est assis près du feu, il se balance, les mains plaquées sur les oreilles. Elle l'observe avec un air inquiet, tandis que Lucas se tient à ses côtés. On ne va pas se mentir, il ne soutient pas son pote, mais bien la belle qui semble anéantie de voir Ethan dans cet état. D'ailleurs, elle lui lance :

— Tu devrais être plus préoccupé pour ton ami au lieu de me frotter le dos.

— Je ne peux pas ! Je dois me détacher de lui si Gabriel l'exécute…

— Ne dis pas ça ! Je vous en empêcherai.

Elle se lève devant lui et le regarde avec colère. Il tente de la rassurer et de la prendre dans ses bras, mais la fée le repousse et s'agenouille vers Ethan.

— Si seulement tu m'expliquais ce qui se passe.

Mais le jeune homme reste les yeux clos et les mains sur les oreilles.

Un peu plus loin, Ayden et Lévana regardent la scène, serrés l'un contre l'autre. La sorcière des bois ne se remet pas d'avoir tué la chamane. Elle passe des larmes… aux larmes. Une vraie fontaine, et honnêtement, c'est très exagéré. Elle s'attendait à quoi en venant dans cette émission ? Je vous rappelle que c'est une épreuve de survie, pas une émission de questions-réponses. Ayden semble tout aussi déconcentré que nous, il la regarde avec un air penaud et lui dit :

— Je ne sais pas quoi faire pour apaiser ta peine.

— Ce n'est rien, elle va passer. C'est juste que… je n'ai jamais tué personne, même dans les pires situations de ma vie.

— C'est parce que tu es une bonne personne, Lévana.

Voilà qu'Ayden nous sert des phrases toutes faites et remplies de pathos. Arrêtez de les filmer, je crois que je vais vomir de dégoût et d'ennui. Allez ! pour nos téléspectateurs empreints de romantisme, je vous laisse la séquence. Préparez-vous, pour les fâchés de l'amour, la séquence peut être violente. Lévana reprend :

— Même quand j'étais prisonnière de ces vampires, j'aurais pu en assassiner certains, mais j'ai toujours refusé cette solution. Et là, je ne comprends pas ce qui m'a pris. Je t'imaginais, toi, tué de ses mains, et j'ai…

Un flot de sanglots l'empêche de finir sa phrase, et Ayden la serre contre lui pour lui murmurer :

— Je sais ce que tu ressens, mais tu n'es pas seule dans cette épreuve, et je t'aiderai à la traverser.

Observons un autre couple, beaucoup moins pathos, et peut-être un peu plus chaud. Ah ! Je vous vois déjà en train de vous frotter les mains dans l'espoir d'apercevoir la vampire chevaucher le jeune alpha sauvage. Je ne veux pas vous faire de fausse joie, mais après avoir passé plus de deux semaines loin d'une douche et de produits d'hygiène, je doute qu'ils se jettent l'un sur l'autre. Ils sont toujours assis au bord de la plage et regardent l'horizon. On dirait que l'ordre de ne pas sortir du camp ne les concernait pas. Gabriel serre sa belle qui a posé sa tête sur son épaule, et lui susurre :

— Tu penses vraiment qu'il ne viendra pas aujourd'hui ?

— Non, il doit gérer la colère d'Angel et la mort de Grégoire. Il ne se précipitera pas tant qu'il ne sera pas sûr d'être en sécurité.

— Tu oublies qu'Ayden s'est engagé à aller le voir.

— Il n'ira pas seul, je l'accompagnerai.

— Alors j'irai aussi.

— Certainement pas, il se servira de toi pour me distraire, et je ne pourrai pas être à cent pour cent pour veiller sur Ayden.

— Il faut qu'on mette en place un plan pour le détruire. Ayden a raison, il a peut-être hypnotisé quelqu'un d'autre sur le camp.

— Non, il a grillé tous ses atouts. Je le sais, sinon, il serait encore là à nous harceler. Tu peux avoir confiance en tous nos amis qui restent. Je t'en fais le serment.

Elle tourne sa tête et le loup se jette sur ses lèvres pour l'embrasser. Lorsqu'il se détache enfin, elle lui demande :

— Tu n'as pas peur des sanctions ?

— Et quoi ? J'ai plus de chance de mourir ici que de revoir mon père ou l'alpha des alphas. C'est peut-être juste l'histoire d'un soir. C'est toi-même qui me l'as avoué. Je ne voudrais pas passer à côté de la possibilité d'épingler une reine vampire à mon tableau de chasse.

Elle éclate de rire, puis l'enlace et le fait rouler dans le sable. Elle se redresse et lui murmure :

— On dirait bien que tu vas pouvoir cocher cette case.

Elle promène ses mains sur le corps du loup et lui retire son tee-shirt si rapidement que nous avons à peine vu la scène. Elle embrasse son torse et remonte dans le cou. Il semblerait que notre alpha n'ait aucune crainte, il suffirait d'une morsure et notre loup deviendrait un repas plus que juteux. Mais il n'en a rien à faire, elle arrive sur sa bouche et l'embrasse fougueusement. Ses mains descendent au niveau du pantalon, et s'attellent de manière plus langoureuse à déboutonner son jean. La suite… vous ne la verrez pas, je vous laisse à votre imagination. La seule chose que je peux vous dire, c'est qu'un sorcier de feu un peu curieux a voulu les rejoindre. Oh ! tout de suite, vous imaginez le pire, ou le meilleur pour les plus ouverts d'esprit. Mais non, il est sorti du camp et il a fait demi-tour. Lucas lui a alors demandé :

— Tu ne surveilles pas la porte ?

— Ne t'en fais pas ! Si tu veux y aller, je t'en prie, mais Gabriel est en train de donner du plaisir à Carmilla sur la plage. J'ai pas trop envie d'être accusé de voyeurisme.

— Jure ! L'alpha des alphas va le tuer, et je ne parle même pas de son père.

— C'est sûr ! Car il n'y a aucun doute, la vampire s'offre une chevauchée sur le loup.

Les deux explosent de rire, mais Derek casse vite l'ambiance quand il dit :

— Tu n'auras que le roi des fées sur le dos en plus. Tu penses vraiment que ton histoire avec June passe inaperçue ?

Le sorcier de feu repart vers Ethan en riant aux éclats. Par contre, Lucas est devenu blême et regarde la fée qui tente toujours de faire parler le pauvre Ethan. Il hausse les épaules et court les rejoindre.

En attendant, Angel est de retour vers son patron dans le camp des vampires. Celui-ci est posé sur son tronc d'arbre à siroter une poche de sang.

— Tu t'es calmée ? C'est fou d'être aussi impossible. Un jour, cela va m'agacer et je vais te punir.

— Mais je t'en prie, je n'espère que ça.

— Arf ! Tu n'es pas mon style, il faut bien te mettre ça dans le crâne.

Severn a pris de la distance, et surtout il s'est placé de sorte que MacGregor soit entre lui et sa nouvelle maîtresse. Si elle venait à s'emporter, MacGregor serait sur le chemin d'Angel. Alors il se racle la gorge et lance :

— En effet, et tu auras beau tuer Carmilla et la sorcière des bois, je doute que tu obtiennes ce que tu veux.

Les yeux d'Angel s'illuminent d'un rouge pourpre, et des veines tout autour apparaissent. Toutes canines dehors, elle se jette sur Severn, en vain. MacGregor s'est levé de manière tellement rapide. Il a attrapé la jeune femme par le cou et l'a ramenée au sol sans effort. Il la bloque ainsi et lui lance :

— J'écoute tes justifications !

Ah, mon Dieu ! Severn vient de trahir sa maîtresse, je pensais que c'était impossible. Mais qu'est-ce qui a bien pu se passer ? Je vais vous le dire. Severn a endormi la vigilance d'Angel et elle a oublié de lui ordonner de ne rien dire. Il ne peut pas raconter que la jeune femme souhaite s'enfuir, mais ce qui s'est relaté après, si ! J'ai hâte de voir la réaction de MacGregor devant cette révélation. Pas vous ? Mais vous me connaissez suffisamment, la suite au prochain épisode…

Épisode 13

Judith Mikelson

« Bonjour à toutes et à tous. C'est avec une joie immense que je vous retrouve pour un nouvel épisode de *Treize, qui survivra à MacGregor ?* Comme vous l'avez constaté, l'amour est au rendez-vous. Qu'il soit charnel avec Gabriel et Carmilla, passionnel avec June et Lucas ou encore romantique avec Ayden et Lévana, il est présent et envahit notre île autant que nos écrans. Il y en a bien une qui ronge son frein et goûte aux joies de la trahison, c'est Angel, qui souhaite une idylle avec le beau MacGregor, mais qui risque d'être déçue. Pour l'instant, le seul geste qu'elle a reçu de son bellâtre est un retour au sol très brutal. Il l'a attrapée au cou et l'a plaquée sans ménagement. Pourquoi ? Mais vous n'avez pas regardé l'épisode précédent, ma parole ? Severn l'a tout simplement dénoncée. Il n'est jamais bon de jouer les rapporteurs, cela finit toujours par nous revenir dessus. Mais j'attends de voir ce que Severn a en tête. Il est bien trop stratège, pour ne pas avoir tout calculé. Je vous rappelle que, durant toute une saison, il est passé pour le parfait homme fidèle. En tout cas, il est temps de retrouver nos candidats ; il est possible que l'amour retombe comme un soufflé bien raté. Spoiler alerte : il y a de l'eau dans le gaz. »

Épisode 13

Nous retrouvons nos candidats sur le camp. Ethan est toujours léthargique, je doute qu'on puisse l'aider. Gabriel le regarde déjà comme un loup mort. Tic tac, tic tac… l'horloge tourne, et si le garçon ne se reprend pas, son alpha l'exécutera sans ménagement.

June se lève et fixe Lucas dans les yeux.

— Je t'avertis, si vous tentez quoi que ce soit sur lui, je vous le ferai payer au centuple.

Il sourit comme s'il ne prenait pas ses menaces en compte. Pourtant, je vous garantis qu'il vaut mieux ne jamais énerver une fée. D'ailleurs, ce n'est peut-être pas lui qui va en faire les frais. Elle pose une main sur le dos d'Ethan et lui dit :

— Repose-toi ! Je te promets de te protéger et de trouver une solution.

Elle se tourne vers Ayden qui tente toujours de calmer Lévana.

— Il est où Gabriel !

— Bien occupé, là, répond Lucas avec un sourire lubrique sur le visage.

— Ils sont sérieux ? Ils s'envoient en l'air alors que nous pouvons crever à tout moment.

— Mais quelle belle mort, si tu vois ce que je veux dire !

— Même pas en rêve, et encore moins devant les caméras. J'ai bien peur que le nouveau réalisateur s'offusque et décide de ne pas diffuser les images.

Elle a raison, nous ne retransmettons pas les images sur la chaîne principale, mais pour tous ceux qui souhaitent en savoir plus, je vous conseille de vous abonner à la chaîne non censurée. Vous en aurez pour votre argent. Reprenons, après cette publicité intempestive. D'ailleurs, nos deux protagonistes reviennent avec un sourire béat sur les lèvres. Ils n'ont pas l'air du tout gênés, il faut dire qu'ils ne se sont pas vraiment cachés. Lucas tape l'épaule de Gabriel et lui murmure :

— Bien joué !

Mais le regard que lui jette Carmilla le rappelle aussitôt à l'ordre et dissuade quiconque de faire un seul commentaire. Enfin presque tous, car June leur lance :

— Quand vous aurez terminé vos cochonneries, on pourrait réfléchir à un plan. Ils nous exécutent sans l'ombre d'un effort jusqu'à présent. De toute manière, je n'ai pas vraiment besoin de vous. Ayden, tu as dit que tu pouvais te changer en souris. Je vais me faire toute petite et nous irons sur leur camp. Je dois voir ce qui se passe.

— Non ! lancent Carmilla, Gabriel et Lucas en chœur.

La jeune fée ne compte pas en rester là. Ses ailes se teignent de rouge, ce qui signifie une seule chose : la colère va éclater. En effet, elle se soulève suffisamment du sol pour être plus haute que son auditoire. Elle les regarde comme un épicier attrapant des petits voleurs de bonbons. C'est loin d'être effrayant, plutôt mignon. Elle leur dit avec une voix légèrement plus aiguë :

— Je ne vous demande pas votre avis, à vous ! Mis à part jouer la défense, vous n'avez pas l'ombre d'un plan. Vous êtes inutiles et faux jetons. Alors vous allez rester ici, prendre soin du pauvre Ethan, pendant que je pars avec Ayden étudier notre ennemi. Ils ne me verront pas et lui non plus. Quand je reviens, Ethan sera en vie, sinon, c'est moi qui vous tue ! Compris ?

Carmilla s'apprête à l'envoyer paître, mais Gabriel s'avance d'un pas et lui dit :

— C'est dangereux, vous risquez…

— Tais-toi ! On risque autant ici. Ce n'est pas parce que j'ai des ailes dans le dos que je suis une pauvre petite chose. J'ai bien plus de pouvoirs que toi, alpha. Alors je te conseille d'arrêter de jouer les protecteurs et de commencer à mettre en place un plan avec les qualités de chacun. Maintenant, je vais y aller, que ça te plaise ou non. Ayden, est-ce que tu m'accompagnes ?

Le métamorphe regarde Gabriel qui hoche la tête. June jette un regard noir à l'alpha et le remercie de donner son accord. Elle ne lui laisse pas le temps de finir sa phrase, elle s'asperge de poudre de fée et devient minuscule. Ayden embrasse Lévana et la confie à son alpha avant de disparaître dans ses vêtements. Une souris pas très jolie en sort. Carmilla pousse un cri et s'accroche à Gabriel qui lui dit :

— C'est ton descendant.

— Mais j'ai toujours détesté ces bestioles.

Ils rient tous, mais très vite les mines se renfrognent, et on peut lire l'inquiétude dans le fond des yeux. Nous retrouvons notre fée miniature sur le dos d'Ayden, changé en petite souris. Le camp des vampires est assez loin et je doute que le plan soit finalement judicieux. Ils n'y seront pas avant des heures. Lorsqu'ils sont à l'abri des regards, le métamorphe reprend ses plumes d'aigle et s'envole avec la fée qui virevolte autour de lui. On ne va pas se mentir, ils offrent un vol plus long que nécessaire, mais qui leur reprocherait de se dégourdir les ailes ? Ah oui, vous ne connaissez pas cette sensation que l'on ressent quand on vole. Cet air qui nous traverse et nous soulève, ce sentiment de légèreté et de liberté… Bref, je m'égare. Après cette pause bien méritée, il atterrit assez loin du camp pour ne pas se faire repérer. Ayden reprend sa forme humaine, tandis que June se pose sur son épaule. Eh oui, il n'y a pas d'éléphants sur l'île, mais nous pouvons encore voir une trompe. Il ne semble même pas se rendre compte de tout ça, et murmure :

— Est-ce que tu penses que la souris est une bonne idée ? Comment vas-tu te cacher ?

— Je ne sais pas, il faudrait que tu restes assez loin tapi dans les feuillages. Ils ne pourront pas me sentir, j'ai la même odeur que le bouclier au-dessus de nous. Leur odorat pourrait être trompé. C'est Lucas qui m'a fait la remarque, car il ne peut pas me repérer. Par contre, je peux être vue ou entendue.

— OK, j'essaierai de rester toujours caché. Au moindre doute, je fuirai en me changeant en aigle. Compris ?

— Oui, ils ne pourront pas nous suivre dans le ciel. Prêt ?

En guise de réponse, une souris toute mignonne se tient devant elle. Elle se pose dessus et s'accroche au poil. On pourrait presque croire à un conte de fées. Pourtant, nous sommes plus proches de l'horreur, vous ne pensez pas ? Lorsqu'ils s'avancent vers le camp, ils entendent les cris d'Angel. Celle-ci est toujours plaquée au sol, tandis que MacGregor joue avec un pieu au-dessus d'elle. Chaque fois qu'il l'échappe et que ce dernier se plante à quelques centimètres, la jeune femme pousse un cri.

— Alors ! Je te conseille de me raconter tout ce que tu as dit à Severn.

Il la relève brusquement par le col et la colle contre un arbre avec son visage à quelques centimètres d'elle. Ses yeux rougissants s'animent et se mettent à tourner. Angel entre dans un état second, MacGregor lâche prise et elle tombe à genoux devant lui. Il lui attrape les cheveux et l'oblige à le regarder :

— Maintenant que tu es hypnotisée, tu vas clairement me rapporter ta petite conversation avec Severn.

— Oui, pardon ! Je ne voulais pas te trahir, mais tu m'as tellement frustrée.

— Je me fiche de tes états d'âme. Raconte.

— J'ai juste insinué que je m'enfuirais avec Severn s'il était d'accord. Mais je testais uniquement sa fidélité. Il m'a répondu qu'il me suivrait plus contraint que forcé, alors nous avons parlé à cœur ouvert.

MacGregor jette un regard à Severn, qui affiche un air suffisant et lui fait signe de poursuivre.

— Dis-moi, quel a été votre arrangement ?

— Il désire tuer les loups, car il tient plus à cette foutue garou qu'ils ont abattue qu'à moi. Il veut se venger. Je comptais l'aider pour qu'ensuite il m'épaule pour faire la peau à Carmilla et la sorcière dont tu t'es épris. Ainsi, tu n'aurais pas d'autre choix que de t'intéresser à moi.

— Tu es prête à me désobéir, à me trahir.

— Oui !

Il la jette au sol sans ménagement et lui envoie un coup de pied dans les côtes. La suite des images ne sera pas diffusée, par respect pour les victimes de violence faite aux femmes. Par contre, Severn fixe un point à l'horizon. Il a très vite repéré nos petits amis mal dissimulés sous une feuille qui se soulève à chaque bourrasque. Il leur fait comprendre par des signes de le retrouver plus loin. June tapote la tête d'Ayden qui, avec sa patte, montre qu'il a pigé. En quelques secondes, nos deux comparses s'éloignent de la scène atroce qui se déroule. Clairement, la loyauté de MacGregor se gagne sous les coups. Il apparaît très nettement que le plus vieux vampire du monde a des problèmes dans la gestion de la colère.

Severn s'éclipse à son tour, sans que MacGregor s'en rende compte. Il retrouve June et Ayden, qui est toujours nu comme un ver. Le vampire le regarde avec un air de dégoût avant de lui jeter sa veste.

— Couvre-toi au moins les parties ! C'est vraiment insupportable.

— Pourquoi je ne t'hypnotiserais pas pour te tuer ?

— Si je suis venu, c'est pour discuter avec vous deux. Je peux vous débarrasser de MacGregor et Angel. Comme vous avez pu le voir, je les ai poussés l'un contre l'autre.

June observe la scène en silence, Ayden lui demande :

— Que veux-tu en échange ?

— Je souhaite la tête des loups. Lucas et Gabriel meurent, et vous êtes tous sauvés. C'est un bon compromis.

Ayden ne dit rien. Il se tourne vers la fée, comme si les négociations étaient possibles. D'ailleurs, on lit clairement la surprise et l'espoir dans le regard de Severn.

— Je te laisse gérer, lance Ayden à June.

Toutes les barrières que la fée a mises pour contenir sa colère cèdent comme des digues en pleine tempête. Elle se précipite et saisit le vampire par le col. Elle lui murmure :

— Je ne peux pas hurler, car je ne veux pas que tes petits amis nous entendent. Vous n'êtes que des tordus, et tu penses que je vais négocier avec toi.

Elle lui colle une gifle et lui attrape le menton. Severn s'apprête à bouger, mais Ayden lui fait signe clairement que ce n'est pas dans son intérêt, le vampire le comprend très bien, car il ne bronche pas. June ajoute :

— Nous ne sommes pas des traîtres comme toi. Je vais te laisser une chance, car je pense que ton histoire n'est pas encore terminée. Tu nous seras utile. Après tout, tu t'es rendu compte que notre camp était plus sympathique. Par contre, je doute qu'on te pardonne un jour. Ayden, on se tire, il ne vaut même pas qu'on le tue.

La jeune fée lui crache dessus avant de s'envoler, tandis que la veste de Severn tombe au sol, un aigle décolle en poussant un cri strident. Le vampire la récupère et grince des dents, il murmure pour se rassurer :

— Il devrait être très occupé avec l'autre. Je ne pense pas qu'il l'ait entendu.

Il disparaît et réapparaît à la lisière du camp. L'ambiance a quelque peu changé. Angel est agenouillée et suce… non, mais je vous vois venir, le bras de MacGregor qui est allongé sur son arbre. Sérieusement, le programme est familial tout de même. La pauvre femme semble avoir passé un sale quart d'heure. Elle a les cheveux ébouriffés, et les contusions s'estompent alors qu'elle aspire le sang des bras de MacGregor. Severn reste tapi à l'orée du camp et les observe. MacGregor retire son poignet de la bouche d'Angel et lui dit :

— Assieds-toi devant moi, je vais te recoiffer.

Elle semble tout heureuse et minaude comme une chatte en chaleur. Il écarte ses jambes et elle s'installe contre lui. Il lui dénoue ses tresses plaquées. Il les brosse avec un peigne de fortune, ne mettant aucune délicatesse dans ses gestes. Honnêtement, il lui arrache la tignasse. Puis, dans un mouvement très doux, il lui penche la tête et s'attelle à lui faire une coiffure digne des grandes guerrières vikings. Était-il coiffeur autrefois ? La question se pose, car il est tout simplement très bon. Il lui tresse les cheveux en une natte plaquée sur le dessus, puis il prend chaque mèche de cheveux pour les rejoindre dans un chignon magnifique. Tout en s'exécutant, il lui dit :

— Arrête de me mettre hors de moi ! Il ne se passera jamais rien entre nous. Comment as-tu pu laisser Severn te manipuler de la sorte ?

— Je ne sais pas. Je doute que mon sang soit aussi efficace. Il semble que je n'ai pas d'emprise sur lui.

— Il est plus puissant que toi. Tu peux le contrôler, mais de là à dire que tu peux le mettre à ta botte, tu en es loin. Et puis, tu lui as fait la misère, il te l'a rendue.

— Je doute de sa loyauté.

— Pas moi !

Il appuie ses paroles en lui arrachant une mèche de cheveux, et poursuit :

— De toute manière, je me fiche de ce que tu penses. Lui et moi, nous avons le même objectif. On veut jouer avec les grands méchants louveteaux. Il désire se venger, car ils ont tué sa belle, et moi aussi. L'autre a posé ses mains sur Carmilla et ils ont abattu la louve. J'aurais bien aimé effectuer des expériences sur elle pour voir si nous pouvions trouver un remède contre la morsure de ces chiens. Je te rappelle qu'une morsure de leur part nous fait souffrir le martyre avant de décéder.

— Et si Severn te trahit ?

— Arrête avec ça. Il ne fera rien tant que les loups seront en vie. On en a déjà tué un. Ethan, le plus jeune, est mort. Il ne nous reste plus qu'à avoir les deux autres. Le reste n'a pas vraiment d'importance. Allez, dégage avant que je te remette une rouste, parce que tu m'exaspères avec Severn.

Angel ne se fait pas prier et disparaît pour réapparaître au bord de l'eau avec une coiffure digne des plus grands coiffeurs du monde. Elle balance des coups de pied dans l'eau et, dès qu'elle trouve une pierre, elle la lance si loin que nous ne la voyons pas atterrir dans les vagues de l'horizon.

Que la vie semble dure de ce côté du camp ! L'amour d'un côté, la violence de l'autre. En tout cas, je dois vous dire que je me laisserais volontiers coiffer par

MacGregor. Mon Dieu ! Avez-vous repéré ce talent à l'état pur ? Je suis encore bluffée. D'ailleurs, je suis en train de regarder les différentes photos d'Angel sur Vampista et je peux vous dire que c'est tout simplement incroyable. Ce vampire a de l'or dans les mains, dommage qu'elles soient remplies de sang et de mauvaises intentions. En tout cas, il est déjà temps pour nous de vous quitter. Vous connaissez la rengaine… La suite au prochain épisode.

Épisode 14

Judith Mikelson

« Bonjour à tous, quel plaisir de vous retrouver pour observer nos candidats à la loupe. Le compte de notre Angel a explosé après avoir annoncé cela en fin d'émission. Vous êtes très nombreux à avoir laissé des commentaires sur ses coupes de cheveux, et la question se pose. Est-ce que MacGregor est le coiffeur de cette dame ? La réponse est oui. Je suis partie me renseigner, et j'ai surtout reçu un courrier d'un vampire de l'essaim du plus vieux vampire d'Europe. Il nous explique très clairement que c'est sa passion et que c'est une manière pour lui de se détendre. L'homme le plus violent décompresse en faisant des tresses. Même moi, je trouve cela risible. Est-ce que je vous dis ça parce que je ne crains plus rien pour ma vie ? Vous le saurez en regardant la fin de la saison…

Je peux vous dire que j'ai déjà un plan de fuite s'il s'en sort, mais je ne vous révélerai rien, car je ne doute pas qu'il voudra m'arracher mes jolies ailes. Sinon, il est temps de retrouver nos candidats… »

Épisode 14

Carmilla fait les cent pas devant le camp. L'attente de June, et surtout d'Ayden, est une véritable épreuve pour elle. Même Gabriel n'ose pas s'approcher. Lorsqu'ils reviennent par la voie des airs, elle pousse un cri de soulagement et se dirige près du feu où tout le monde les attend. Ayden a revêtu sa forme humaine, tandis que June patiente pour qu'il ait au moins enfilé un slip. La jeune femme leur raconte ce qu'ils ont vu chez leurs ennemis, notamment la négociation avec les loups. Elle ne peut s'empêcher de jeter un regard suspicieux à Ayden. Il est vrai que celui-ci ne s'est pas vraiment mouillé. Comment aurait-il réagi si elle avait accepté l'accord de Severn ? Serait-il prêt à vendre ses potes loups pour sauver sa vie et obtenir la vengeance qu'il a tant souhaitée ? La question reste entière. June finit son exposé et reprend :

— Il est temps que nous arrêtions d'attendre parqués comme des moutons. Nous pouvons les vaincre sur leur propre terrain. Ils sont tellement sûrs de leur supériorité que nous pouvons les tuer très facilement. Il nous suffit…

— Hors de question, lance Carmilla avec colère. Tu te trompes sur toute la ligne, si tu penses qu'il nous suffit d'aller là-bas et de leur planter un pieu dans le cœur. Ils nous repéreront et nous serons foutus. Petite fée, il y a quelque chose de pire que la mort. MacGregor le sait et je doute que tu puisses imaginer la cruauté dont il est capable. Je vais essayer de régler ça. Je vous demande de rester ici et de vous défendre. Vous êtes plus en sécurité entre ces murs que…

Soudain, sans raison apparente, Lévana se lève. Des lianes s'enroulent autour des chevilles et des bras de la vampire et la plaquent au sol. La sorcière des bois saisit un pieu posé près d'elle tandis que Carmilla feule, toutes canines dehors.

— À quoi tu joues ? hurle Gabriel.

Mais la jeune femme utilise une liane qu'elle passe autour du cou de l'alpha pour l'empêcher de s'approcher. Elle s'avance vers Carmilla et se positionne juste au-dessus d'elle avec le pieu près du cœur. La vampire a beau se débattre, elle ne fait que resserrer ses liens. Lévana lui lance :

— J'en ai marre de toi et de ta suffisance. Nous ne sommes pas que des choses fragiles, et pour te le prouver, je pourrais te tuer.

Ayden tire la jeune fille en arrière et se place entre elle et Carmilla. Les lianes disparaissent aussitôt, mais elle poursuit :

— Es-tu vraiment sûre de vouloir abattre ton ex ? Je me pose la question. June a raison, nous pouvons les éliminer, et si tu ne souhaites pas prendre part au combat, ne nous fais pas perdre notre temps.

Carmilla enlève la poussière de sa robe et se dirige au bord de la plage. Gabriel se précipite pour la rejoindre, mais Ayden l'arrête et lui demande :

— Est-ce que je peux y aller ? Il est temps que nous ayons une petite conversation tous les deux.

— Tu as raison. Tu pourras lui apporter un meilleur réconfort que moi.

— Oui, si on pouvait éviter d'autres ébats.

Gabriel explose de rire et tape l'épaule d'Ayden affectueusement. Celui-ci lui sourit et court rejoindre son ancêtre qui s'est déjà installée au bord de la plage, elle jette tout ce qu'elle trouve dans l'océan.

— Je peux venir ? demande Ayden.

— Bien sûr, je ne te rejetterai jamais. Qu'est-ce que tu lui ressembles !

Elle pose une main sur sa joue puis la retire rapidement avant d'ajouter :

— Je suis désolée, je sais que tu n'es pas lui. Tu as ses yeux et ses traits fins. Quand je te regarde, j'ai l'impression de revoir le fils qu'on m'a arraché. Je ne veux pas te faire porter ce poids. Je comprendrais si tu souhaites t'éloigner de moi.

Ayden garde le silence, et en même temps, qu'est-ce qu'il pourrait répondre ? « Oui, j'accepte que tu deviennes ma mère. » Franchement, je ne vois pas l'intérêt de lui dire ça si ce n'est de le mettre à mal. Il lui demande :

— Pourquoi tu as laissé Lévana te dominer de la sorte ? Tu aurais pu arracher ses lianes comme si elles étaient en papier. Ne me mens pas, s'il te plaît.

— Tu as raison en partie. Je suis faible, je ne mange pas assez. Et je ne voulais pas briser son espoir. Gabriel m'a dit que tu étais attaché à elle.

— En effet, elle a vécu de sales expériences à cause des vampires et cela nous rapproche.

Carmilla grimace, elle ajoute :

— Je veillerai sur elle comme je le fais sur toi, mais je t'en supplie, ne retourne pas sur le camp de MacGregor. Il se montrera impitoyable s'il t'attrape, tu es notre seule chance de nous en sortir.

— De toute manière, je lui ai promis une conversation. Elle va avoir lieu que tu le veuilles ou non. Et puis, il pense que je suis comme lui et que je pourrais le rejoindre. S'il croit tout ça, il pourrait baisser sa garde.

— Détrompe-toi, il joue avec toi. Je ne veux pas que tu pèches par excès de confiance. MacGregor ne fait pas confiance à des vampires qui le suivent depuis des centaines d'années, alors sois vigilant. C'est un grand stratège et un manipulateur hors pair. Pars du principe que tout ce qui sort de sa bouche est un mensonge.

Honnêtement, j'ai l'impression de voir deux parents qui se disputent la garde de leur enfant. Et ton père si… Et ta mère là… MacGregor est un monstre, et Ayden en a conscience. Et puis, ils ont l'air d'oublier que sa véritable famille est morte à cause de MacGregor. D'ailleurs, le jeune homme ne se fait pas prier pour le rappeler à Carmilla.

— Ne t'en fais pas, je sais quel monstre il est. Je ne suis peut-être pas sur terre depuis longtemps, contrairement à vous, mais ma famille a été massacrée à cause des vampires.

— Non, Ayden, à cause de lui. Tu dois bien comprendre que c'était son plan. Je te disais la vérité, j'ai sauvé beaucoup de métamorphes. Ils pensaient que je les exterminais. Tu es loin d'être seul.

— Je te crois et je te remercie. Mais ma famille est morte sous mes yeux, je doute qu'elle soit dans tes refuges. Je ferai payer à MacGregor ce qu'il a fait. Et j'ai besoin de toutes les personnes présentes sur le camp. Ils sont plus forts que tu ne l'imagines. Je ne vais pas te prendre la tête, mais tu devrais écouter le plan de June.

Et pourtant sur le camp, il semblerait que la fée soit moins dithyrambique sur lui. Elle demande à son petit ami, loin des oreilles indiscrètes :

— Que penses-tu d'Ayden ?

— J'ai été en conflit très longtemps avec lui avant que Thya me retire ma haine des métamorphes. Malgré ça, nous sommes toujours en conflit pour une question de place dans la meute.

— Écoute, il m'a laissée parler devant Severn. J'ai un doute sur ses intentions. Est-ce qu'il aurait pu vous vendre pour sauver sa peau ?

— Je n'en sais rien. Mais je ne suis pas impartial, nous nous opposons sur la place au sein de la meute. Je vais t'annoncer que c'est un traître, mais ma vision n'est pas juste. Je préfère être honnête avec toi.

June dépose un baiser sur le nez du garçon et lui murmure :

— C'est pour ça que je t'aime !

À voir la tête du garçon, je doute qu'il apprécie cette révélation. On aurait passé son cœur dans un mixeur, il n'aurait pas fait pire niveau grimace. June ne s'en aperçoit pas, et tant mieux pour elle. Pauvre fille, elle va souffrir, et je ne dis pas ça avec un sourire. Oui, je lui en veux d'avoir mis tout mon peuple en danger en révélant notre pouvoir avec la poudre de fée. Une petite peine de cœur, ce ne serait pas grand-chose.

Pendant ce temps-là, de l'autre côté du camp, un oiseau sifflote à l'oreille du grand méchant loup. Severn profite de l'absence d'Angel pour monter MacGregor contre elle. Celui-ci est toujours installé confortablement sur son tronc, et Severn s'est assis près de lui. Il lui confie :

— Comment as-tu pu croire que je te trahirais ? Je supporte ton ex-femme depuis des années, je te rapporte tout ce qu'elle fait.

— Mais tu n'as jamais découvert où elle cache ces sales métamorphes.

— Elle ne le sait même pas. J'ai beau fouiner, je n'ai rien trouvé.

— De toute manière, la traque est finie puisque l'unique survivant est sur l'île avec nous. Je dois t'avouer qu'il me plaît bien. Il a ma malice.

— Oui, il a quelque chose de toi. Par contre, je me suis arrangé pour que tu prennes conscience des actes d'Angel. Elle pourrait te nuire.

MacGregor se lève soudainement et le regarde avec un air dubitatif. Il soupire, puis retombe mollement sur son transat improvisé.

— Je l'ai déjà punie. Severn, ne joue pas avec elle. Je vous aime tous les deux comme ma famille. Nos relations sont parfois difficiles et blessantes, mais n'est-ce pas le cas de toutes les familles ?

— Elle te veut rien que pour elle. Elle n'hésitera pas à tuer Carmilla ou la sorcière des bois.

— J'en ai conscience, et je l'ai punie, tout comme le fait qu'elle t'ait proposé de fuir avec elle. Tu ne m'apprends rien que je ne sache déjà. Tu espérerais que je sois plus dur avec elle ?

— Oui ! Tu l'as été beaucoup plus avec moi, alors que je ne t'ai jamais trahi. J'ai respecté tes ordres à la lettre, et tu m'as fait devenir son esclave. Elle a quand même voulu t'abandonner sur cette île.

— Tu as raison ! C'est vrai que je lui laisse passer beaucoup de choses. Est-ce que tu penses que c'est parce que c'est une femme ?

Il se met à rire comme si cette idée était ridicule. En effet, on sait ce qu'ils leur font dans ces bars pour vampires. Et je garderais sous silence ce que dénichent nos reporters partis enquêter sur lui. Je vous laisserai découvrir ce reportage dans quelques semaines, sur nos chaînes, bien évidemment. Il se lève et hurle en direction de la plage :

— ANGEL ! Ramène ton petit cul ici !

Elle apparaît devant lui avec un sourire rempli d'amour. Je crains qu'elle ne regrette les prochains événements. Il lui demande :

— Serais-tu prête à mourir pour moi ?

Le sourire s'efface comme un coup de crayon sous l'effet d'une gomme. Je n'aurais jamais pensé dire cela un jour, mais un vampire peut blêmir, et nous en avons un devant les yeux. Elle déglutit et lui annonce avec un faux aplomb :

— Bien sûr !

— Parfait.

Il lui tend un pieu et se met à rire avant de dire :

— Enfonce-le près de ton cœur. Bien évidemment que tu vas souffrir, mais je veux voir si tu me fais assez confiance. Il me suffirait de le décaler de quelques centimètres et tu te transformerais en tas de poussière. Alors, montre-moi ta loyauté.

Elle saisit le pieu, hésitante et tremblante. Severn se frotte les mains, regardant ce spectacle avec une joie à peine dissimulée. Mon Dieu, mais quel stratège ! Il a réussi à devenir le bourreau de son propre bourreau. Il sourit puis demande à MacGregor :

— J'ai du mal à assister à ce spectacle. Je peux… ?

— Oui, je veux que tu ailles voir nos proies. Raconte-moi tout ce qui se passe là-bas. Je vais régler mes comptes avec elle.

Sans même lui jeter un coup d'œil, il le congédie d'un geste de la main. Severn lance son plus beau sourire à Angel, qui pourrait le tuer d'un regard. Si elle s'en sort, Severn va subir une punition bien pire de la part de sa maîtresse. Il disparaît et réapparaît près du camp de nos candidats en quelques secondes. Il reste suffisamment éloigné et face au vent pour ne pas se faire repérer, mais c'est compter sans une petite fée. Il sort une feuille de bananier dans laquelle il écrit un message avec du charbon. Il se saisit d'un caillou et enroule son mot autour, puis il le jette juste devant les barricades. Enverrait-il un message à un ami ? Y aurait-il un traître dans l'équipe ?

June a entendu le bruit, elle bondit, provoquant les moqueries des autres. Pour eux, ce n'est qu'un gland ou une noix de coco qui est tombé de son arbre et qui a rebondi contre la palissade. Pour nous, les fées, qui grandissons en pleine forêt avant de nous orienter dans un métier, le son sourd ne ressemble pas à un fruit tombant d'un arbre. Une fée peut-elle être orgueilleuse ? Bien sûr que oui ! Tandis que les autres rient de June, elle boude et se dirige à l'extérieur du camp. Elle est aussitôt rappelée à l'ordre par Gabriel :

— Tu ne peux pas sortir seule hors du camp.

— Mais tu es qui pour m'empêcher de faire ce que je veux ? Pour t'envoyer en l'air avec la reine des vampires, tu ne m'as pas demandé mon avis. Et lorsqu'elle est partie sur la plage, tu ne lui as pas fait la morale.

— Elle est capable de se défendre et…

— Et je suis capable de m'envoler. Lâche-moi, tu veux !

Le loup n'apprécie pas le ton de la jeune fée, et encore moins que l'on contredise son ordre. Ses pupilles scintillent d'une jolie couleur ambrée, tandis que son visage se tend. Lucas arrive très rapidement au secours de sa bien-aimée. Il se place de manière à rompre le contact visuel. Il n'en faut pas moins pour que la petite fée disparaisse à l'extérieur du camp.

— Tu peux t'en prendre à moi, patron. C'est ma compagne, et je suis responsable d'elle.

Eh bien ! Il ne tolère pas un je t'aime, mais il fait d'elle sa compagne. Vous connaissez l'engagement chez les loups, c'est encore pire qu'un mariage. Mon Dieu ! Nos dirigeants sont en train de noyer leur chagrin ensemble pour oublier le nombre de lois transgressées dans cette émission. Est-ce que Gabriel va réussir à se contenir ou, encore une fois, perdre pied sous l'instinct de son loup ? Et quel est le petit mot qu'a envoyé notre cher Severn ? Aurait-il toujours un ami dans la place ? En tout cas, June est sur le point de faire une drôle de découverte, mais vous me connaissez suffisamment pour savoir que vous ne verrez la suite qu'au prochain épisode…

Épisode 15

Judith Mikelson

« Bonjour, mes très chers téléspectateurs. C'est avec une immense joie que je vous retrouve pour ce nouvel épisode de *Treize, qui survivra à MacGregor ?* Tellement de questions et si peu de réponses ! Mais que fait Ayden ? Avons-nous manqué un pacte passé entre lui et Severn ? La réponse reste entière. En attendant, il est toujours sur la plage, en pleine conversation avec son ancêtre. En toute honnêteté, ils échangent des banalités, et il n'y a que très peu d'intérêt. Ce que l'on veut, c'est du croustillant, comme la correction que pourrait se prendre Lucas pour sauver sa "compagne", June la fée. Ou encore la punition d'Angel : va-t-elle arriver à s'enfoncer un pieu près du cœur pour montrer sa loyauté à MacGregor ?

Je me rends compte que nous sommes des êtres atroces, fascinés par ces scènes violentes. Mais on adore ! Ce n'est pas de notre faute. Après tout, nous sommes faits comme ça. Et que celui qui n'a jamais ralenti devant un accident sanglant ou observé discrètement dans les rayons d'un magasin un couple en pleine dispute me jette la première pierre. Eh bien, je n'en vois pas beaucoup. Déduction, vous êtes aussi voyeurs que moi… allez, il est temps de vous donner votre dose… Place à l'épisode. »

Épisode 15

Nous commencerons cet épisode par une touche de malsanité. À votre avis, qui allons-nous rejoindre ? MacGregor, évidemment ! Après le départ de Severn, notre cher vampire a lancé un ultimatum à Angel, qui a perdu son assurance légendaire. Je peux vous dire que nous la voyons se décomposer à vue d'œil sous les rires de son ami tortionnaire.

— Alors, tu vas enfoncer ce pieu ? Je devrais peut-être le faire, mais me fais-tu suffisamment confiance ?

— Bien… sûr !

— Pourquoi ne me le donnes-tu pas ?

La jeune femme déplie le bras comme un automate. Ses mouvements deviennent saccadés, marquant son hésitation.

— Tu ne me fais pas confiance ? demande MacGregor. Tu me déçois tellement.

Il s'empare du pieu avec une vitesse incroyable et bouscule Angel pour la coller contre un arbre. Il n'est plus qu'à quelques centimètres d'elle, l'arme en direction de son cœur. Son nez touche presque celui de la femme, qui ne sait pas si elle doit le regarder dans les yeux ou fixer l'objet qui pourrait la faire passer de vie à trépas. Elle déglutit alors que MacGregor lui lance d'une voix pleine de sensualité :

— C'est excitant, tu ne trouves pas ? Il me suffirait d'un geste pour que tu disparaisses. Ne te sens-tu pas plus vivante, comme si un cœur pouvait battre dans tes veines ?

Elle acquiesce, mais son malaise est palpable. Il enfonce légèrement le pieu, lui arrachant un cri. Angel se décompose, mais ne bouge pas d'un centimètre.

— Eh oui, si tu remues, tu es morte !

Alors, MacGregor colle sa bouche à la sienne et l'embrasse fougueusement. Autant vous dire, mesdames, que nous assistons au baiser de la mort dans tous les sens du terme. La jeune femme ne bronche pas, elle sait que, si elle se laisse aller, elle pourrait mourir. C'est ce qu'on appelle jouer avec la grande Faucheuse. Après un baiser incroyablement long et rempli de suspense, MacGregor recule, l'abandonnant là avec l'arme plantée dans sa poitrine. Une larme coule sur la joue d'Angel devant ce jeu macabre, alors que le plus vieux vampire d'Europe lui lance :

— Je te fais souffrir, n'est-ce pas ?

— Oui, mais… j'ai conscience… je le mérite.

— En effet, je me suis rendu compte que je suis très indulgent avec toi. Mais je ne te laisserai plus rien passer. Tiens-le-toi pour dit. Évidemment, tu as le droit de faire payer ce petit coup à Severn. Après tout, c'est de sa faute. Il m'a gentiment rappelé à l'ordre sur les privilèges que je t'octroyais. Tu peux retirer le pieu, mais fais attention, il est très mal placé.

La jeune femme pose sa main sur l'arme, quand soudain il lui dit :

— Attends !

Elle cesse tout mouvement, comme figée, alors que la souffrance se lit dans tout son corps. MacGregor se dirige vers la glacière et prend une poche de sang qu'il ouvre avec ses dents avant de recracher le petit bout de papier. Mais quel être abject ! Ne connaît-il pas l'écologie ? Jeter un papier de la sorte, c'est un scandale, et il ne s'arrête pas là. Non, après avoir vidé le sang dans une noix de coco, il envoie le reste dans l'océan. Il devrait être châtié dans d'atroces souffrances, autant qu'il fait souffrir notre planète. Quoi ? Je n'ai pas le droit de faire l'apologie de l'écologie ? Oh, ça va, Angel n'a que ce qu'elle mérite et on se fiche de… J'ai compris, le papier n'a que peu d'importance tant que vous vous délectez de sa souffrance. Alors très bien. Reprenons.

MacGregor s'avachit sur son tronc-transat et lui dit :

— Maintenant !

La jeune femme, dans un effort insoupçonné, retire le pieu millimètre par millimètre sans bouger. Eh oui ! il suffit d'une épine de bois dans le cœur et elle disparaîtrait au milieu du sable. MacGregor l'observe et pousse même le vice à l'encourager tandis qu'il sirote une coco d'hémoglobine. Elle finit par l'enlever de son corps entièrement et tombe au sol à genoux, les yeux exorbités sous le poids de l'effort et de la peur qu'elle a eue. Elle donne un coup de poing dans le sable et murmure :

— Tu vas me le payer, Severn !

Alors qu'elle se redresse, MacGregor lui tend son poignet comme une récompense. Elle se jette dessus et plante ses canines acérées avant de sucer le liquide rouge qui en sort. Il s'arrange pour qu'elle se pose sur lui en la guidant avec son poignet, et lui caresse la tête affectueusement.

Je vous propose de prendre de la distance, car j'en ai encore l'estomac tout retourné devant la cruauté de cet être abject. Il a osé jeter son emballage, comme si cet acte n'était pas de l'ignominie à l'état pur. Ah oui, pour les plus sensibles, Angel… bla bla bla, mais elle ne fera rien contre la pollution celle-là, alors tant pis pour elle. Il est temps de retrouver June qui, grâce à son compagnon loup, a pris la tangente derrière les balustrades. Elle virevolte rapidement et regarde dans son dos si Gabriel ne s'est pas lancé à ses trousses. Heureusement pour elle, Lucas a fait barrage. Mais nous reviendrons sur ces deux-là plus tard. Une fois qu'elle s'est approchée de l'endroit où elle a entendu un bruit, il ne lui faut pas longtemps pour découvrir une feuille de cocotier entourant un caillou. Notre Severn serait donc un fin bricoleur. En tout cas, contrairement aux Égyptiens et à leurs tablettes, il a su trouver du papier. Ne serait-ce pas les prémices du papyrus ? Il n'a pas inventé l'encre, mais avec le charbon, on peut lire distinctement :

Rejoins-moi dans la clairière ! J'ai à te parler.

June prend le mot et se dirige immédiatement vers la clairière en marmonnant. Je peux vous dire qu'elle est en pétard, car ses ailes rouge écarlate sont sur le point d'expulser de la fumée. Je ne suis pas sûre que Severn s'attend à rencontrer une fée colérique à son rendez-vous. Mais à qui était adressé ce mot ? Ayden serait-il vraiment en train de pactiser avec l'ennemi ? Nous allons devoir suivre June pour en savoir plus. Par contre, je doute de sa stratégie. Elle s'y rend seule, serait-ce de l'inconscience ? Et en même temps, à qui ferait-on confiance dans ce camp ? Nous en saurons plus un peu plus tard, car l'alpha de la meute a du mal à se contenir devant la rébellion de notre petite fée.

Gabriel est sur le point d'imploser. Il a collé son front contre celui de Lucas, qui résiste tout en conservant le regard ancré au sol. Il ne s'agirait pas de le provoquer, lui désobéir par contre, c'est une autre histoire. L'alpha grogne et bave devant son loup qui garde son sang-froid. Lucas lui murmure :

— Si tu me corriges, je ne t'en voudrai pas, je le mérite, mais, patron, ne blesse pas June.

Derek, qui traînait dans les parages, se précipite devant les deux hommes et demande :

— Comment puis-je vous aider ?

— Ne bouge pas, idiot de sorcier, lance Carmilla. Tu ne ferais que jeter de l'huile sur le feu. Celui dont nous avons besoin est en train de perdre la tête dans la cabane. Si Ethan était là, il arriverait à réguler son alpha ; avec une meute, c'est plus facile pour Gabriel de se contenir, mais ils ne sont plus que deux.

— Non, Ayden en fait encore partie, lance Lévana innocemment.

— Il n'en a jamais fait partie, lui explique Carmilla. Sur la forme, peut-être, mais au fond certainement pas. Il ne peut interagir avec la magie de la meute, et c'est ce qui se passe pour Gabriel.

— Et toi, tu ne peux pas le provoquer ? Tu l'as bien fait quand ils s'en prenaient à Isabella.

— Oui, mais je ne suis pas sûre d'avoir été efficace. Arrêtez de jacasser. Laissons-les régler cela entre eux.

On risquerait juste d'être la goupille qui les lancerait dans un duel sanglant.

Lucas lui fait un petit signe discret pour montrer qu'il approuve la reine des vampires. Soudain, Gabriel relâche la pression et pousse un hurlement. Aussitôt, tous les membres de la meute, enfin ce qu'il en reste, se jettent au sol et couinent comme des chiots. Le pauvre Ethan, toujours en mauvaise posture, se voit en rajouter une couche. Alors, Gabriel, dans un effort de self-control, lance :

— Course… Lucas… confie le camp.

Il s'éloigne alors que la transformation a déjà commencé. Il court, ou tout du moins il essaie, pour mettre le plus de distance possible avec les autres. Nous avons tendance à oublier le côté sauvage des garous, et Gabriel vient de nous le rappeler à l'instant. Pourvu qu'il parte du côté opposé de June, car je ne suis pas sûre que leur rencontre donnerait quelque chose de productif.

D'ailleurs, nous la retrouvons marchant prudemment vers la clairière. Elle se dissimule dans le feuillage et guette l'arrivée de l'auteur du mot. Vous vous doutez bien de sa surprise quand elle découvre Severn. La jeune fée ne se dégonfle pas et s'avance dans la lumière. Le vampire sourit de toutes ses dents en l'apercevant, et lui lance :

— Je vois que mon message a trouvé un interlocuteur. C'est dommage, mais ce n'est pas toi que je voulais.

— Et c'est qui ?

— Je ne vais pas te révéler avec qui je négocie. Je ne suis pas un traître.

— Tu es le roi des traîtres puisque tu nous as tous trompés.

— Faux, j'ai toujours fait partie du camp de MacGregor, je vous ai dupés, mais je n'ai en aucun cas trahi mon camp. Vous avez cru ce que vous vouliez voir.

— Je sais que c'est Ayden ! Il vendrait la tête des loups pour sauver les autres. Je te rappelle que j'étais là quand tu as proposé ce plan, et nous n'étions que tous les deux. J'en déduis que tu souhaites négocier avec lui. C'est vrai qu'il ne s'est pas montré catégorique comme moi.

— Tu as tout compris, jolie fée. On ne peut rien te cacher. En effet, je pense que le beau métamorphe pourrait succomber à nos propositions. Après tout, il est en recherche de famille et il pourrait y avoir un semblant de papa et de maman. Il lui suffirait de nous donner les loups et vous seriez tous sauvés.

— Ton plan vient de tomber à l'eau.

Avant que la jeune fée ne continue, elle s'envole rapidement tandis que Severn fait semblant de tenter de la retenir. On a très bien vu qu'il n'avait pas mis toute sa puissance et que son but était de la laisser filer. Alors qu'elle est haute dans le ciel, dissimulée par la canopée des arbres, elle lui hurle :

— Je vais rapporter tout ça au camp. Ayden ne pourra pas vous rejoindre, car je le massacrerai de mes propres mains s'il veut pactiser avec toi.

Le vampire patiente quelques minutes puis, lorsqu'il est sûr d'être seul, il se frotte les mains et se murmure :

— Elle est si manipulable. C'est si facile de les monter les uns contre les autres. Je ne donne pas cher de la peau du métamorphe, et MacGregor tuera la fée pour lui avoir volé le plaisir de l'exterminer. Alors je serai le grand stratège de l'histoire.

Il rit comme le ferait une petite fille qui jouerait avec ses poupées favorites, et disparaît pour réapparaître près de MacGregor. Il regarde Angel se nourrir au bras de son maître et ne peut s'empêcher de sourire de nouveau, un sourire diabolique.

— Ah, tu es revenu, lance MacGregor. Ne t'en fais pas, Angel ne te fera plus rien. Je crois qu'elle a compris la leçon. Tu avais raison, je me montre beaucoup plus clément avec elle. Mais je vais être vigilant, mon petit Severn.

— Je suis libre ? demande-t-il.

— Certainement pas ! Tu resteras sous la surveillance de notre amie. Tu penses que je vais te faire confiance alors que tu viens de t'échapper pour je ne sais quoi faire ? Tu me prends pour un lapin de trois semaines. Je te rappelle que j'ai un millier d'années au compteur. Je ne vais pas renoncer à mes plans en te regardant les saboter.

— Je suis juste allé voir les loups. Ils rient de toi et se vantent qu'il suffira d'une morsure pour t'anéantir.

— Et ils n'ont pas tort. Laisse-les rêver, je les remettrai à leur place comme les chiens qu'ils sont. Angel, tu peux arrêter de me sucer tout le sang. Tu m'agaces.

La vampire cesse et se redresse pour jeter un regard noir à Severn qui lui affiche son plus beau sourire. Elle n'hésite pas une seule seconde et lui tend son poignet en lui ordonnant :

— À genoux !

Severn ne résiste pas une demi-seconde et tombe au sol. Elle lui attrape le visage et lui murmure :

— Je vais te le faire payer. Je ne sais pas par quel moyen, mais tu vas le payer.

MacGregor observe la scène avec un sourire sadique dessiné sur le visage.

— Allez jouer plus loin. Angel, tu ne le tues pas et tu ne le blesses pas.

— Oui !

Elle attrape Severn par les cheveux et le traîne vers la plage. Elle ouvre son ombrelle et se dissimule dessous, tandis qu'elle dit à Severn :

— Je t'en prie, bronze ! Je n'ai pas le droit de te toucher.

On sait combien les vampires et le soleil ne font pas bon ménage. Il va certainement ressortir brûlé, et sa capacité à se régénérer va lui réclamer beaucoup d'énergie. Honnêtement, avec des amis pareils, avaient-ils besoin d'avoir des ennemis ? Je peux vous dire en tout cas qu'une petite fée va vouloir régler ses comptes. Et tout cela va être observé par un certain vampire. Vous vous demandez si c'est Severn ou MacGregor, et surtout ce qui va se dire ? Il vous suffit de patienter jusqu'au… prochain épisode.

Épisode 16

Judith Mikelson

« Bonjour à toutes et à tous ! C'est avec un grand plaisir que je vous retrouve pour cet épisode de *Treize : qui survivra à MacGregor ?* Je trouve que le titre a tout son sens, car même ses alliés ne sont pas sûrs de repartir en vie de l'île. Il a joué avec la vie d'Angel, son bras droit. Je me délecte de ce joli tour, comme quoi tout est possible ! Il y a un autre de nos candidats qui n'est pas prêt. J'ai aperçu une charmante fée aux ailes cramoisies de colère. Severn a réussi à entrer dans sa tête pour y semer la graine de la discorde. Comment notre métamorphe va-t-il se sortir de ce mauvais pas ? Face à ce nouveau vent de tempête, il pourrait bien y avoir un spectateur inattendu.

Un alpha manque à l'appel, il a dû fuir le camp pour ne pas exploser. Un guerrier de taille dans le combat qui nous attend, et il pourrait bien avoir déserté suite à l'insubordination de Lucas pour protéger la belle demoiselle ailée. Est-ce que Severn n'a pas tout simplement mis en place son plan pour se venger des loups ? Agit-il sous les ordres de son grand patron pour ainsi remonter dans son estime ? Tant de questions et si peu de réponses. Allez… je ne vous fais pas languir plus longtemps… Place à nos candidats. »

Épisode 16

Gabriel vient tout juste de partir, se transformant dans une souffrance sans nom, quand June fait son apparition au-dessus de leur barrière. Elle virevolte jusqu'à Ayden. Il est partagé entre suivre son soi-disant alpha ou rester sur le camp pour le protéger. Lucas lui dit :

— Laissons-le souffler. Il va courir pour évacuer l'adrénaline et revenir. Ce n'est pas Gabriel qui est dans cet état, mais son loup. Je comprends, la situation devient compliquée.

June n'apprécie pas son explication et se précipite sur lui. Ayden gagne un peu de temps, car la colère de June explose sur Lucas sans crier gare.

— Ne lui cherche pas d'excuses ! Il est impulsif, colérique et soupe au lait. C'est facile d'accuser son loup, sa position d'alpha ou autre. On a tous des problèmes ici, et pourtant, on n'est pas à deux doigts de tuer l'un d'entre nous.

— Mais…

Lucas n'a pas le temps d'en dire plus, car June s'est déjà jetée sur Ayden. Il fait deux têtes de plus qu'elle, mais elle ne se dégonfle pas et vole pour être à sa hauteur. Elle lui attrape le col et lui hurle :

— Je n'apprécie pas Gabriel, mais ce n'est pas pour autant que j'envisage de le vendre à Severn et MacGregor. Comment peux-tu pactiser avec l'ennemi ? Tu n'as aucune honte. Je préférerais mourir plutôt que de donner un de mes camarades.

— Qu'est-ce qui te prend ? lui demande Ayden. Tu as volé trop haut et tu manques d'oxygène ? Je ne comprends pas ce que tu insinues. En aucun cas je n'ai composé avec l'ennemi.

Carmilla s'est approchée et lutte pour ne pas intervenir. Elle lance néanmoins un regard plein de reproches et lance :

— Tu devrais te méfier de Severn.

Elle sort une feuille de bananier où est rédigé le message. Elle l'agite devant tous les candidats et leur dit :

— Ce n'étaient pas des cailloux ou je ne sais quoi, mais bien ce message envoyé par le camp ennemi. L'un d'entre nous pactise avec eux et Severn m'a confirmé qu'il s'agissait d'Ayden.

Aussitôt, Derek s'approche de lui, mais Lucas l'arrête. Lévana, qui est restée près d'Ethan, regarde la scène avec horreur. Lucas dit au sorcier :

— Tu ne dois pas t'emballer et croire June. Je crains fort qu'elle se soit fait manipuler.

Quoi ? Lucas vient de trahir June en direct et sans vergogne. Le parfait amour semble voir des nuages noirs, chargés d'électricité, se profiler plus vite qu'une tempête sous les tropiques. La fée a l'air d'avoir reçu une douche froide, une gifle et, pour finir, un crachat en plein visage. Elle passe de la stupeur à la déception, puis à la tristesse. Elle regarde Lucas et lui demande :

— Tu ne me crois pas ? Tu ne me soutiens pas ?

Il fait signe que non, s'avance vers elle et lui tend une main. Elle le repousse et fronce les sourcils avant de rétorquer :

— Tout ça parce qu'il fait partie de ta meute. Je l'ai vu dans les bois avec Severn. Il n'a pas refusé la proposition, mais m'a laissée parler. Si j'avais accepté, vous seriez tous morts. Le mot trouvé en est la preuve. Je suis allée à la rencontre du vampire et il m'a avoué que son interlocuteur était Ayden. Il veut retrouver un semblant de famille avec MacGregor et Carmilla.

— Ils t'ont manipulée, June, lui dit calmement Lucas. Tu connais l'histoire. Ayden serait le dernier sur ce camp à s'allier avec eux. Tu le sais au fond de toi.

La fée semble complètement désarçonnée. Elle cligne des yeux, incrédule, et scrute autour d'elle. Personne ne la croit, et pourtant elle est certaine qu'Ayden aurait vendu les loups si elle n'avait pas été là. Derek la regarde, navré, et lui dit :

— Je te comprends, June. Nous avons été trahis si souvent. Mais s'il y a une personne qui ne passera jamais de leur côté, c'est Ayden. Il ne peut pas être hypnotisé par ces buveurs de sang.

Carmilla lève les yeux au ciel et Derek lui fait un signe d'excuse. Il reprend :

— Ils ont traqué et abattu toute sa famille. Ils ont implanté des faux souvenirs pour que des races entières les chassent. Ayden est celui qui veut le plus la mort de MacGregor. Par contre, Severn joue avec toi et tes propres peurs.

La fée relâche le col d'Ayden et s'écroule à genoux au sol. Elle enfouit son visage dans les mains et sanglote alors que Lucas s'approche d'elle et la soulève pour l'emmener à l'intérieur de la cabane. Il lui murmure :

— Tu veilles sur Ethan sans prendre de repos, il faut que tu dormes.

Il entre dans la cabane et ressort quelques secondes plus tard, tandis que Carmilla observe au loin. Elle a le visage fermé et les poings serrés. Elle l'a vu… il regarde la scène à une centaine de mètres de là. Le vent lui fouette le visage et n'emporte pas son odeur vers le camp. C'est un excellent chasseur, fort de milliers d'années d'expérience. Elle se dirige vers la sortie, mais Lucas la retient par le bras.

— Tu ne dois pas quitter le camp !

Elle pose une main sur la sienne et lui dit avec un calme qui ne lui ressemble pas :

— Tu ne pourras pas me retenir. Je vais faire un tour, ne t'en fais pas.

Lucas soupire et la regarde prendre la direction de la plage. Elle disparaît subitement. Eh oui ! elle l'a dupé mais il ne le sait pas. Pour lui, elle a dû s'isoler dans un coin en s'y rendant avec l'hypervitesse, et pourtant, notre belle reine rejoint le voyeur qui les observe depuis de longues minutes. Il ne lui faut qu'une microseconde pour se jeter sur MacGregor.

Enfin la confrontation que nous attendions depuis tout ce temps ! Carmilla va affronter son ex les yeux dans les yeux. À moins que ce soit les crocs dans la carotide. En tout cas, elle n'a pas eu l'effet de surprise escompté. Encore une fois, nous avons ralenti les images pour que vous puissiez apprécier ce moment. Elle court dans la forêt et sort son couteau qu'elle a toujours contre sa poitrine. Elle fonce sur lui le bras armé, mais le sourire qui se dessine sur le visage de MacGregor ne laisse aucun doute. Il l'attend et attrape son bras pour la faire pivoter et l'envoyer valser contre un tronc d'arbre à plusieurs mètres de lui. Carmilla se relève et marque un temps d'hésitation. Il en profite pour lui dire avec humour :

— Est-ce que nous pourrions discuter avant de nous lancer dans un corps-à-corps endiablé ?

— Est-ce que tu vas me laisser te tuer ?

Il rit et la regarde comme un mari admirerait sa femme après des années de vie commune. Il l'aime et cela se voit comme les ailes au milieu du dos.

— Non, Carmilla, je ne vais pas mourir, et toi non plus. Maintenant, la question est de savoir combien il y aura de morts avant que tu rentres à la maison.

— Je ne t'appartiens pas ! Je ne suis pas ta chose ! hurle-t-elle.

— Ne commence pas à crier ! Est-ce que, pour une fois, tu pourrais arrêter de faire des drames ? Tu es fatigante.

— Pour toi, ce n'est qu'un jeu. Mais Ayden est mon descendant et tu lui as…

— Putain, tu vas me lâcher avec ça ! Il peut tous nous anéantir, je protège mes semblables.

— Tu n'es qu'un salaud qui méprise les autres. Tu ne penses qu'à ta putain de gueule et à ton confort personnel. Si tu n'étais pas aussi puissant, tu serais seul et abandonné de tous.

— Je sais. Mais tu l'as dit, je suis puissant, alors le jeu va se terminer très vite. Tu m'énerves. Tu vas rentrer à la maison avec la sorcière des bois. Oui, j'ai envie d'essayer la polygamie. Les autres vont tous crever, mais je garderai peut-être Ayden pour que tu restes docile. Et puis, j'ai vu des traits de caractère qui m'ont bien plu. Je pourrais me servir de lui. Je vais te laisser une dernière chance, reviens à la maison avec moi, et Ayden ne mourra pas.

— Pas si je te tue avant.

Elle ne lui donne pas le temps de répondre et engage le combat. Elle feint de se jeter sur lui, mais au dernier moment, elle part à gauche puis à droite et se retrouve dans son dos. Elle tend son bras pour que le poignard lui transperce le cœur, mais il disparaît et réapparaît juste derrière elle. Il est encore plus rapide car, malgré nos tentatives de réduire la vitesse de la vidéo, nous n'arrivons pas à voir ses déplacements. Est-il capable de se téléporter ? Il tapote l'épaule de Carmilla qui se retourne en lançant son bras pour le poignarder. Il lui tord le poignet, elle en lâche le couteau. Alors il saisit sa main et entrelace ses doigts dans les siens pour porter à sa bouche son bras, et dans un mouvement presque imperceptible, il lui ouvre le poignet avec ses crocs et avale une gorgée de sang. Il la relâche et s'éloigne de l'autre côté de la clairière. Avec son pouce, il essuie les commissures de ses lèvres et lèche le sang avec un plaisir à peine dissimulé.

— J'avais oublié comme tu es sucrée, mon bonbon au miel !

Et en plus, il est romantique ! Je ne sais pas comment va s'en sortir Carmilla, mais de ce que nous avons vu, elle n'a aucune chance. Elle est désarmée et il est bien plus rapide. Mais avant de connaître la fin de ce combat, si nous allions retrouver un autre vampire en mauvaise posture ? Il est temps de passer à la caisse pour Severn, et Angel n'a pas apprécié les petites conversations qu'il a eues avec le grand patron. Il semblerait que Carmilla ne soit pas la seule à subir une défaite cuisante. Nous arrivons au meilleur moment.

Angel est en train de rouer de coups Severn. Quand elle reprend ses distances, il lui lance :

— Tu cours à ta propre perte. MacGregor t'a dit de ne pas me faire de mal.

— Et tu l'as cru ? Tu es devenu si faible à force de rester avec Carmilla. Tout ce que MacGregor ne voit pas n'existe pas à ses yeux.

— Tu oses lui désobéir ?

— Bien sûr ! J'étais prête à partir avec toi, à tuer les loups et Carmilla. Tu penses sincèrement que je suis un mouton docile ? Si tu en es là, c'est justement parce que tu suis les ordres à la lettre.

Elle s'élance vers lui et saute en l'air pour lui administrer un coup de poing fatal. Severn se redresse et le bloque dans sa main. Angel ouvre des yeux de surprise, puis lui ordonne :

— Je t'interdis de te défendre.

Le sourire sur le visage de Severn démontre que la magie n'opère plus. Il rit et lui attrape le cou pour la soulever du sol.

— Si faible… tu disais ! Je joue un jeu pour être dans les bonnes grâces du patron, mais ton pouvoir n'est pas si grand sur moi. Un simple moustique qui s'agite dans mon cerveau. Et tu n'as plus l'autre débile de Grégoire pour assurer tes arrières. Je bois ton sang, mais je suis plus puissant que toi. MacGregor le sait, il me teste pour voir quand je craquerai.

Il la repousse, elle tombe au sol, complètement désarçonnée. Elle ouvre la bouche pour parler, mais se ravise.

— Je t'ai enfin cloué le bec. Alors maintenant, j'en ai terminé de jouer avec toi. Je vais récupérer ma place de bras droit et tu seras sous mes ordres. Je te laisse le choix. Tu me suis ou tu meurs. J'ai vu dans tes yeux l'angoisse de marcher dans le dédale des âmes damnées. Tu n'es pas prête à mourir.

— Non, mais je ne suis pas inconsciente.

Elle s'évapore pour apparaître hors de portée de Severn qui lui fait un petit signe amical et lui hurle :

— Préviens MacGregor, je ne donne pas cher de ta peau. J'ai hâte de découvrir ton choix.

Il lui envoie un baiser puis frotte ses vêtements pour retirer la poussière. Il se dirige vers une glacière remplie de poches de sang. Il s'assied dessus et bougonne :

— Je vais devoir trouver le moyen de me nourrir de cette satanée Angel si je ne veux pas perdre les pouvoirs de la sorcière des eaux.

Il fait venir à lui une boule d'eau et joue avec pour passer le temps. Angel l'observe au loin, mais son regard ne nous trompe pas, elle a peur.

Quel retournement de situation ! Severn est un excellent stratège, mais n'aurait-il pas abattu ses cartes un peu trop tôt ? Est-ce que MacGregor va apprécier son tour de passe-passe ? À moins qu'Angel décide de s'allier à lui. Et Carmilla, va-t-elle succomber aux charmes de son ex ou mourir sous ses coups ? La question reste entière. Je n'aborde pas la situation de Gabriel, parti en balade pour éviter de tuer ses propres alliés sur le camp. Va-t-il revenir à temps pour sauver sa belle ? Les questions se suivent et les réponses brillent par leur absence. Allez, je vais vous donner un indice… vous connaîtrez le dénouement à la fin de la saison… Ah ! ne me maudissez pas sur plusieurs générations, tel est le jeu… La suite au prochain épisode !

Épisode 17

Judith Mikelson

« Bonjour, mes très chers téléspectateurs, j'ai bien reçu vos lettres de menace. Je ne répondrai à aucune d'entre elles. Je ne connais pas la fin, car tout comme vous, je découvre les épisodes au fur et à mesure. Eh oui, les producteurs ont décidé de me placer dans les conditions du réel. Évidemment, pour vous teaser un peu, ils aiment bien me révéler quelques actions. Je vous fais la promesse de tout vous dévoiler. Enfin presque tout, il me faut entretenir une part de mystère avec vous. Sinon, le charme sera rompu et notre relation d'amour se dégonflera comme un ballon de baudruche.

Nous allons retrouver nos candidats, et je peux vous dire avec certitude que Carmilla va être en très mauvaise posture, et ce ne sera pas son sauveur habituel qui va la tirer d'affaire. Je ne vous dirai qu'une chose : *girl power*, mes sœurs… Vous voulez tout savoir ? Alors je laisse la place à nos candidats… et à l'épisode de votre série de téléréalité préférée… »

Épisode 17

Nous retrouvons une Carmilla qui se tient le poignet encore ensanglanté. La blessure se referme, mais trop lentement, laissant beaucoup de sang au sol. Elle se redresse, mais sa voix est plus faible quand elle dit :

— Tu sais, ici la nourriture est sacrée et nous ne devrions pas la gâcher.

— Pourtant, Severn m'a expliqué ton rôle dans notre venue. Je n'étais pas vraiment prêt et j'ai dû me précipiter. Tu l'as affamé, et cela m'a contrarié. Enfin, ce sont mes plans qui ont quelque peu changé. J'avais tellement hâte de te retrouver.

— Je préfère encore mourir…

Il ne lui laisse pas le temps de finir sa phrase. Il disparaît pour se placer derrière elle. Est-ce que les vampires ont la faculté de se téléporter ? Je me permets d'insister, car nous avons réduit au maximum les images, mais nous ne détectons aucun mouvement. Si un téléspectateur a la réponse, merci de nous écrire. Cela changera des insultes sur ma personne. Reprenons !

MacGregor se tient derrière elle, il respire l'odeur de ses cheveux, comme le ferait un pervers dans le métro. Elle tente de se retourner, mais il la maintient dos à lui en l'enlaçant de ses bras. Il lui murmure à l'oreille :

— Ton corps contre le mien me rappelle tant de souvenirs.

Les pupilles de Carmilla prennent une couleur rouge, et les veines autour de ses yeux ressortent. Elle pousse un faible gémissement alors que ses canines s'allongent. Elle lutte, en vain. Il la berce et lui dit :

— Tu m'as manqué !

Sans la moindre raison, il la mord dans le cou et lui aspire un peu de sang avant de le recracher. Il la lâche. Carmilla titube, se tient le cou puis se ressaisit. Elle se retourne de nouveau pour lui faire face. Il sourit et lui lance :

— Je ne veux pas trop boire de ton sang, je ne souhaiterais pas que tu me manipules dans mon sommeil. Par contre, tu as conscience de ce qui va se passer. Je le lis dans tes yeux.

Elle les ferme puis les rouvre de manière si lasse que l'on comprend son état, elle est faible et ne peut plus combattre. Pourtant, elle lui fait face :

— Je vais peut-être mourir, mais tu me rejoindras bien assez vite. Gabriel va devenir fou de colère et Ayden ivre de rage. Tu ne pourras pas gagner face aux deux réunis.

MacGregor applaudit et la regarde avec une pointe d'admiration.

— Je comprends mieux ta stratégie. Tu te sacrifies pour l'équipe. Je suis désolé, mais tu ne périras pas de mes mains.

Encore une fois, il disparaît. Carmilla tourne la tête dans tous les sens, mais il ne réapparaît pas. Il est pourtant tout près. Il s'est accroché à une branche juste au-dessus d'elle, comme un cochon pendu. Il lâche ses bras et lui caresse le visage délicatement. Carmilla tente de reculer, mais il lui tombe dessus et la maintient au sol. Il lèche le sang séché dans son cou alors qu'elle se débat, puis lui plante les crocs de nouveau dans la plaie à peine refermée. Il se relève et marche sur le poignet qu'elle souhaite ramener pour empêcher le sang de couler. Il s'agenouille près d'elle et lui caresse une nouvelle fois les cheveux en lui murmurant :

— Tu as compris ce que j'allais faire !

Carmilla se met à pleurer, puis le supplie :

— Je ne veux pas… Tu ne peux pas me faire revivre tout ça. Je vais te suivre et t'obéir, mais laisse les gens du camp en dehors de ça.

— Je ne peux pas, ma belle. Tu es allée beaucoup trop loin et tu dois être punie. Ayden devra venir avec moi, tout comme la sorcière des bois. Évite de les tuer, cela me mettrait en rogne. Je ne voudrais pas t'infliger une punition comme t'affamer et t'envoyer dans un orphelinat. Est-ce que tu penses arriver à te contrôler et abattre uniquement les loups et le sorcier de feu ?

Elle pleure et lui fait signe que non. Il rit aux éclats et se saisit de son poignet pour l'ouvrir de nouveau. Le sang coule sur le sol de la forêt, et nous avons déjà vu les conséquences de tout cela. Elle va être à l'agonie jusqu'à ce que la fièvre de la soif s'empare d'elle. Je vous raconterai la légende de Carmilla. Elle est très effrayante, mais ce ne sera pas pour tout de suite, car nous allons devoir patienter et retrouver Severn toujours assis sur sa glacière.

Angel l'observe au loin et finit par se rapprocher. Elle lui demande :

— Est-ce que tu m'en veux ?

— De quoi ? De m'avoir persécuté ? Non ! Tu ne connais que ça. Tu devrais élargir tes connaissances.

— Tu es du côté de Carmilla ?

— Absolument pas ! C'est une utopiste ennuyeuse. Je souhaite que tous les candidats de cette île meurent.

— MacGregor aussi ?

— Et pourquoi pas ? Il est temps de songer à nous et d'arrêter d'être le toutou de quelqu'un. Je suis assez puissant pour avoir mon essaim. Qu'est-ce que tu en penses ? Je suis moins tordu que MacGregor. Il ne sortira pas vivant d'ici, Ayden va le tuer, c'est juste une question de temps. Est-ce que tu veux être dans mon essaim ? Je te traiterai bien.

— Je te suis ! Mais si je sens le vent tourner, je te vendrai sans la moindre hésitation.

— Je suis d'accord ! Il est temps que nous soyons égoïstes, et ce sera la même chose pour tous les vampires qui me rejoindront.

Elle lui tend une main hésitante et Severn la saisit pour acter leur partenariat. Comment Severn est-il passé de victime à leader ? Je suis, comme qui dirait, déboussolée. Est-ce qu'Angel joue un double jeu ? En tout cas, cette conversation est vraiment déroutante au plus haut point. Severn reprend la parole :

— Tu vas continuer à me maltraiter devant tous les autres candidats. Quand MacGregor nous demandera d'agir, tu feras comme moi et tu ne les tueras pas. Enfin, pas tout de suite. Lorsqu'ils auront eu la peau de MacGregor, le sort des fées qui nous empêche de quitter l'île devrait s'estomper. Alors, nous profiterons de ce moment pour exécuter un maximum de candidats avant de nous enfuir. Le plan est simple.

— Oui, mais je veux la tête de Carmilla !

— Il est allé l'assassiner. Je ne partirai pas tant que les loups seront encore en vie. Pendant que je les achève, tu es libre de tuer tous ceux que tu souhaites. Maintenant, nous devrions retrouver MacGregor. N'oublie pas d'être la salope que tu es ! Je te trouve beaucoup moins sûre de toi depuis ma révélation.

— Ça va, je sais ce que j'ai à faire ! Je n'en suis pas à ma première tromperie.

— Monte sur mon dos ! On y va.

— Je peux marcher !

— Oui, mais tu ne l'aurais pas fait si j'étais sous ton influence.

Elle grimpe sur son dos et ils disparaissent. Il ne leur faudra que quelques minutes pour réapparaître près de MacGregor. Il a déposé Carmilla presque morte sur ses genoux et lui caresse les cheveux délicatement. Il lui pose un baiser sur le front et regarde ses deux anciens serviteurs (je ne sais plus comment les appeler) pour leur demander :

— N'était-elle pas magnifique ? J'en suis tombé fou amoureux lors de notre rencontre. Elle était humaine. Tu t'en souviens, Severn ? Je t'avais dit qu'ensemble, elle et moi, nous ferions de grandes choses.

— Pourquoi tu ne l'as pas encore achevée ? lui lance Angel.

— Tu es tellement impulsive et bourrine. Tu ne connais pas l'art de la guerre. Je ne vais pas la tuer. Elle reste ma femme, quoi qu'elle annonce !

Angel regarde Severn et lui donne une gifle. Hélas, le geste est là, mais pas l'intention. Son regard lui demande presque pardon. Heureusement pour elle, MacGregor est plus concentré sur le corps presque sans vie de Carmilla. Il scrute sa montre et dit :

— Dans deux heures, elle devrait entrer dans la fièvre de la soif. Je vais aller la déposer près de leur camp. Je me demande comment ils vont réagir. Angel, je t'ai ordonné d'arrêter de martyriser Severn. J'aimerais que tu suives mes ordres avant que je ne me fâche. Severn, que penses-tu de mon plan ?

— Il est diabolique, comme toujours, mais je crains fort qu'elle ne tue Lévana.

— Non, elle voudra la garder pour la fin afin d'obtenir ses pouvoirs. Le feu ne servirait à rien avec toi qui as ceux de l'eau. Alors, j'interviendrai. Nous pourrons ainsi repartir avec mes deux nouvelles femmes. Angel, tu ne te défoules pas sur Severn ? Je pensais que cette nouvelle t'irriterait au plus haut point.

— Je m'en fiche ! Tu n'es plus mon style. J'ai décidé que je ramènerai le sorcier de feu avec moi et que j'en ferai ma chose. J'ai toujours aimé le feu, et puis il est sexy.

— J'espère que Carmilla l'épargnera !

Angel s'approche de Carmilla dont les paupières sont mi-closes.

— Si tu touches au sorcier, je ferai de ta captivité un enfer. Dès que le patron aura le dos tourné…

— Je te dois bien ça, Angel. Tu as entendu, Carmilla ? Pas touche au sorcier de feu. Sinon, tu subiras la même punition que si tu exécutes la sorcière des bois. Et je rajoute Ayden. En fait, tu ne vas devoir t'en prendre qu'au loup et à la fée.

— Mais elle va devenir accro, s'étonne Severn.

— Et elle sera beaucoup plus docile pour avoir sa dose. Angel, tu as toujours ton carnet et le stylo ?

La jeune femme les sort de sa poche et les tend à MacGregor, qui écrit un petit mot qu'il glisse dans le décolleté de Carmilla. Il demande à Severn de lui passer le couteau de Carmilla. Il est juste devant ses pieds. Il a tenté à plusieurs reprises de le dissimuler. Que comptait-il en faire ? J'espère que MacGregor ne s'en est pas rendu compte. Celui-ci attrape le couteau et le tient quelques secondes en regardant Severn dans les yeux, avant de le remettre contre la poitrine de la pauvre Carmilla. Angel hurle de rage :

— Pourquoi tu lui redonnes ? Elle peut nous tuer avec ça !

— Justement ! La vie est un jeu. Laissez-moi seul un moment avec elle.

Severn et Angel s'exécutent et s'éloignent. Lorsqu'ils sont sûrs d'être assez loin, elle lui demande :

— On fait quoi ?

— Rien, et on les regarde s'entretuer ! Pourquoi tu veux avoir Derek ?

— J'ai paniqué, et je me dis que, manipuler les flammes, ça peut être cool. J'ai peur, Severn. S'il se rend compte que je ne lui ai pas avoué ton plan, il va me le faire payer.

— Il a raison, la vie est un jeu. J'espère que tu as tiré le bon numéro.

Il lui donne un coup d'épaule en riant. Il y a du rapprochement dans l'air et j'ai l'impression que la belle Angel a laissé tomber son masque de fer. Y aurait-il un cœur derrière ? Quelque chose me dit que nous ne sommes pas au bout de nos surprises. Quoi ? Vous pensez que c'est la fin ? Mais non, retrouvons MacGregor. Il berce toujours la pauvre Carmilla. Elle est complètement amorphe et sa respiration est sifflante devant la souffrance qui la transperce. Seules quelques larmes coulent sur ses joues. Elle murmure dans son agonie d'une voix à peine audible :

— Pitié… je t'en supplie… ferai tout…

Il la berce en l'embrassant, et la rassure tout en regardant sa montre. Il lui chuchote :

— Tu vas retrouver ta force et devenir celle que je veux que tu sois. Je t'aime, Carmilla, tu dois comprendre ça. Je ne te laisserai jamais partir, et un enfant ne se mettra jamais entre nous. Tu n'es qu'à moi et à moi seul. Il est l'heure, n'oublie pas que, si tu tues Lévana et Derek, je t'enverrai dans un orphelinat.

Il la porte délicatement et la dépose devant le camp avant de disparaître. Nos candidats ont sonné l'alerte et se sont précipités près de notre reine vampire qui agonise, mais tout ça… nous ne le saurons pas aujourd'hui. En effet, je voulais terminer l'épisode par l'histoire de Carmilla, reine de Bourgogne. Vous me détestez et me huez, vous la connaissez déjà. Je m'en moque et je vais vous la raconter quand même. Plaignez-vous, l'épisode va être plus long… Rire diabolique et danse de la joie pour vous énerver.

Je reprends. Carmilla est une enfant née dans les années 1780. Elle n'était personne et sa vie humaine, honnêtement, on s'en fiche… Mais un beau jour, elle a rencontré un homme blond aux yeux bleus. Il avait une classe intersidérale. Toutes les filles tombaient à ses pieds, et Carmilla a décidé de jouer la carte de l'ignorance. Ce charmant jeune homme n'était pas insensible au côté inaccessible de la dame et a tenté de la conquérir encore et encore. Après plusieurs jours, la sublime demoiselle a succombé et s'est retrouvée dans le lit d'Émile. Il était si fort, si puissant, sa musculature le faisait ressembler à un dieu grec. Il avait toujours des coupes de cheveux sophistiquées. Elle a appris très vite qu'il n'avait pas de coiffeur personnel, mais que c'était son talent caché. Une horde de gens se déplaçait à ses côtés, comme s'il était roi et qu'il disposait de sa cour. Carmilla en était si flattée d'être considérée par un tel homme. Elle suscitait la jalousie des femmes et la convoitise des hommes. Elle avait un atout et savait comment garder un homme dans son lit, elle n'hésitait pas à lui faire découvrir les plaisirs de la chair. L'homme est devenu fou d'elle au point qu'il lui a avoué son plus grand secret. Émile n'était autre que MacGregor, le plus vieux vampire du monde. La jeune femme a tenté de le quitter, craignant pour sa vie. Alors il n'a pas eu d'autre choix que de la transformer. Ils ont vécu des années ensemble, la pauvre femme étant complètement sous l'emprise de son créateur, mais dans l'ombre, elle faisait tout pour retrouver sa liberté.

Elle a trouvé de l'aide auprès des sorciers, mais les dernières informations nous apprennent qu'il y avait du sang de chaman qui coulait dans ses veines. Quelle n'a pas été sa stupeur quand elle a appris qu'elle attendait un enfant ! Impossible, me direz-vous ? Et pourtant, elle avait bien une brioche au four ! Comment est-ce possible ? Personne ne le sait ! Les sorciers s'en attribuent le mérite, mais n'ont jamais pu réitérer le geste. D'autres disent que le sang de chaman a joué un rôle. Mais en vérité, qui peut savoir ? La naissance du bambin a été accueillie avec beaucoup de méfiance par tous, et surtout par le père. Et lorsque la dame a délaissé la couche pour le chevet de son bébé, Émile a décidé de devenir le diabolique MacGregor. Il punissait la mère dès qu'il en avait l'occasion. Et de quelle manière me direz-vous ? Il la plongeait dans la fièvre de la soif et la déposait dans un orphelinat. La jeune maman, complètement affamée, commettait des massacres. Alors son mari l'attendait dans une calèche. On dit qu'elle rentrait en pleurant des larmes de sang pendant des jours. Si elle s'approchait de l'enfant, alors MacGregor la punissait de nouveau.

Eh oui ! Carmilla n'est autre que la tristement célèbre sanguinaire de l'orphelinat. Mais le plus dingue, c'est que MacGregor s'appelle Émile… Je suis partagée entre le fou rire et l'indignation. Je ne m'attendais tellement pas à ça. Je peux vous dire que nous avons ri en lisant cette lettre. Mais je dois vous avouer que les faits sont vrais puisque le courrier contenait tous les documents apportant la preuve. D'ailleurs, il y avait le sceau de la famille MacGregor. Il semblerait qu'un de ses vampires ait décidé de raconter la véritable histoire.

Vous l'avez compris, il est déjà l'heure pour nous de nous quitter. Comment nos candidats vont-ils survivre à Carmilla sans Gabriel, l'alpha du camp ? Et si même lui était incapable de l'arrêter ? Je doute que nous ayons beaucoup de survivants après le prochain épisode… Mais vous connaissez la rengaine… La suite au prochain épisode…

Épisode 18

Judith Mikelson

« Le prénom de MacGregor n'est autre qu'Émile. J'en suis encore sciée… de rire. Comme quoi, un prénom peut tout changer. Qui aurait peur d'Émile ? Personne. Par contre, si je vous dis Jacques, là, tout de suite, on a des sueurs froides. Blague à part, je crains fort que nous assistions à un massacre. La fin est proche, les amis, et je doute que nous ayons le happy end tant attendu. J'ai essayé d'obtenir des informations, mais ils n'ont rien voulu me dire. Tout ce que je peux partager avec vous, c'est que la production avait la mine grave au moment où les événements se sont passés sur l'île.

L'émission est terminée, et tout le monde s'attelle au montage vidéo. Je suis incapable de vous dire s'il y a des survivants. Comme vous le savez, nous avons trois jours de décalage sur ce que vivent nos candidats. Tout est fini depuis quelque temps, mais personne ne me raconte la fin. Il ne nous reste qu'une seule chose à faire : suivre les épisodes… Alors, place à nos candidats… »

Épisode 18

Lucas se précipite avec un pieu près de la porte, mais MacGregor est déjà parti. Il regarde la vampire agoniser à petit feu et tente de l'aider, mais la jeune femme est en boucle sur sa litanie.

— Pitié… non… peux pas… supplie… fais tout… ce que tu veux… pas ça…

Elle ne s'est pas rendu compte qu'elle était sur le camp et que, à la tombée de la nuit, elle se transformera en folle furieuse assoiffée de sang. Lucas lui tapote les joues et lui demande ce qui s'est passé, en vain. Lévana se précipite et lui ordonne de ramener la jeune femme.

— On est tous vulnérables si près de la porte.

Lucas porte la reine des vampires et la dépose près du feu. Ils ne le savent pas, mais ils viennent de faire entrer le loup dans la bergerie. Carmilla tente de se débattre, mais son agonie est douloureuse. Elle ne lutte pas longtemps. Heureusement, Lévana est sur le camp et, contrairement aux autres, elle démontre un semblant d'intelligence.

— Merde ! On est tous en danger !

— Pourquoi tu dis ça ? questionne Lucas.

— Ils l'ont affamée, et quand elle va se réveiller, elle va être comme Severn avant la venue de MacGregor. Elle aura faim. Vous vous souvenez, Carmilla expliquait à Isabella qu'il la tuerait malgré son amour.

Elle regarde la position du soleil et comprend qu'il ne reste que très peu de temps. Et ils vont en avoir encore moins pour réfléchir, car MacGregor les observe au loin sur la plage. Il est très vite rejoint par Angel et Severn. Lucas donne l'alerte et demande à Ayden de les surveiller près de la porte.

— Au moindre signe, tu hurles ! Putain de bordel de merde, il est où Gabriel ? Je ne suis pas un alpha, je n'ai pas cette faculté de prendre des décisions. Sacré nom d'une lune pourpre. Ethan est toujours dans un piteux état, et moi, je dois me battre isolé sans meute.

— Tu n'es pas seul, on est là, lui murmure June. On va te suivre et se défendre. Il ne bouge pas… Ils attendent quoi ?

— Je n'en sais rien !

Soudain, Lucas pousse un soupir de soulagement. Tous les muscles de son corps se détendent et son sourire revient. Il attrape les mains de June et lui apprend :

— Gabriel arrive ! Je l'ai ressenti, il m'envoie une vague d'apaisement.

— Et tu crois que c'est une bonne nouvelle ? Je te rappelle qu'il a failli tous nous bouffer juste parce qu'on lui a dit non. Il me fait penser à ces enfants d'humains, auxquels on passe tout et qui n'ont aucune règle. Ils mettent ça sur le compte de l'éducation positive, mais ce sont des parents démissionnaires. Voilà ce qu'est ton alpha, un enfant sans frustration et sans contrainte.

— Tu te trompes tellement. Il a reçu plus de trempe que tous les gens du camp réunis, mais tu dois entendre qu'il est jeune et que son loup manque d'assurance. Il voit tous nos actes comme des défis. Gabriel se bat constamment pour rassurer son loup. Ce n'est pas si simple, petite fée.

Elle baisse la tête et semble comprendre quelque chose. Au même instant, un loup gris entre sous le regard soulagé d'Ayden.

— Sans toi, le combat était perdu d'avance.

— Oh, tais-toi, lui lance Lévana.

Les amoureux ne seraient-ils pas en pleine discorde ? En tout cas, Ayden fait la grimace et regarde son alpha avec un demi-sourire. Le loup tousse, mais non, il rit. Lévana a posé ses mains sur ses hanches, elle a l'air grave et lui dit :

— Pendant ta balade en forêt, Carmilla a rencontré l'ennemi dans notre dos. Ils l'ont déposée devant notre camp à l'agonie. Elle va se réveiller dans le même état que Severn, complètement affamée.

Gabriel grogne et utilise sa truffe pour retrouver sa belle. Lévana se place devant lui et lui demande avec un profond respect que nous ne lui connaissions pas.

— Dis-moi ! Est-ce que tu m'autorises à prendre le commandement ? J'ai un plan, mais nous n'avons pas beaucoup de temps et je ne veux pas que tu perdes tes moyens comme tout à l'heure avec June.

Gabriel acquiesce de sa grosse tête de loup. Mais l'ombre d'une alpha sorcière des bois ne viendrait-il pas pointer le bout de son nez ? La réponse reste entière. Il s'assied devant elle. Elle lui dit :

— Il faut qu'on se sorte les doigts du… pardon, je deviens vulgaire sous la pression. Je dois prélever du sang à tout le monde. On va faire en sorte qu'elle n'ait pas de fièvre, par conséquent, elle ne nous tuera pas. Donc, pendant que je t'explique mon plan, je vais effectuer un maximum de prélèvements. Derek, viens ici !

— Je ne vais pas lui fournir le pouvoir du feu.

— Oh, tais-toi ! La dernière poche qu'elle devra boire, ce sera la mienne. Je te rappelle que l'autre traître de Severn a le pouvoir de l'eau. Ton feu ne peut pas grand-chose. Mais je vais lui donner une chance de se battre avec un avantage si elle a mes pouvoirs. Maintenant, tais-toi et tends ton bras. On a peu de temps.

Derek s'exécute sans piper mot. Lévana serait une bonne alpha. Après avoir piqué Derek, elle fait de même avec tous les candidats présents. Même June est mise à contribution. Il semblerait que nos candidats ne soient pas au courant des dangers du sang de notre petite fée sur la reine vampire. Lorsque Lévana a terminé, elle hurle :

— Vite, Carmilla est sur le point de mourir, nous devrions l'emmener dans la cabane avec Ethan. Je vais essayer de la soigner.

Les autres la regardent incrédules, et elle montre d'un signe de tête les trois vampires qui les observent à l'autre bout de la plage. Elle pose son doigt sur sa bouche et murmure à l'oreille du loup :

— Je veux que tu viennes avec moi. Je vais t'expliquer mon plan.

Elle se dirige vers la cabane et fait signe aux autres de garder la porte. Ils s'exécutent, quelque peu décontenancés par la tournure des événements.

Comment Lévana a-t-elle pu prendre le lead alors qu'il y a peu elle sanglotait encore sur la mort de Thya ? Enfin, elle pleurait surtout le fait d'être devenue une meurtrière. Si vous voulez mon avis, ces larmes n'étaient que de la culpabilité égoïste. Eh oui ! on pense être une gentille petite sorcière des bois tandis qu'on peut se montrer cruel comme un assassin. D'ailleurs, je me demande quel est son plan. Pas vous ? Nous allons devoir patienter encore un peu avant de le découvrir. Par contre, une discussion fort intéressante se déroule sur le bord de la plage. Je ne voudrais pas vous faire manquer tout ça.

MacGregor a sifflé et ses deux bons soldats se sont ramenés comme deux chiens de chasse. D'ailleurs, il n'a pu s'empêcher de leur faire la remarque, tout en se moquant d'eux. Contrairement aux autres fois, ils n'ont pas ri et cela ne semble pas passer inaperçu. MacGregor les observe sans pour autant les questionner. Il finit par dire :

— Severn, va chercher la glacière. S'ils décident de respecter leur pacte, je ne voudrais pas qu'elle tue tout le monde.

— Oui, patron !

Il a à peine disparu que MacGregor se tourne vers Angel et lui lance :

— Je t'écoute !

— Quoi ? Il n'y a rien.

— Tu n'es pas une très bonne menteuse. On réglera tout ça plus tard. Il y a de l'agitation au camp.

Même si les vampires sont très blancs, je jurerais qu'Angel vient de pâlir. Elle sourit, mais son agitation et son langage corporel la trahissent. C'est la plus mauvaise comédienne que je n'ai jamais vue. MacGregor l'observe avec un demi-sourire et murmure dans sa barbe, mais assez fort pour qu'elle l'entende :

— Une rébellion ! J'aime ça. C'est à la fin du bal qu'on paie les musiciens, après tout !

Severn est de retour avec la glacière pleine de sang, et MacGregor ouvre une poche avec ses canines et commet l'acte immonde de cracher le plastique sur la plage. Mais arrêtez cet homme, c'est un criminel sans nom ! Comment peut-il polluer notre belle île sans vergogne ? Qu'il tue tout le monde, mais qu'il cesse d'assassiner notre planète. Cet être est abject !

Veuillez excuser mon emportement, mais quand même. C'est un pollueur et il mérite de lourdes sentences. Nos trois amis savourent leur sang alors que, dans le camp, tous sont en effervescence, il est temps de découvrir le plan de Lévana contre nos chers vampires.

Les poches de sang sont autour de Carmilla. Ethan, toujours plongé dans un état second, a été mis à contribution sans son accord. Il se tient les oreilles, le regard dans le vide, alors qu'un cathéter est en train de le vider d'un peu de son sang. Soudain, il regarde Lévana et lui annonce :

— Tu n'en auras jamais assez ! Il en faut beaucoup plus.

— Merde ! Comment tu le sais ? Et tu parles, toi, maintenant !

— Les esprits me disent qu'il faut plus de sang.

Junc, ramène tes ailes ici ! Ethan raconte des conneries, et je pige que dalle !

La fée se précipite devant son ami qui lui sourit et lui explique.

— Je n'en peux plus, il y a trop de monde. Ils parlent tous et me crient dessus. Comment elle faisait ? Ce n'est pas possible, je deviens fou. J'ai aperçu la mort, j'étais mort, mais les esprits m'ont ramené dans d'atroces souffrances.

— Oh, Ethan ! Je suis terriblement désolée, s'excuse June en le prenant dans ses bras. J'ai joué à l'apprenti chimiste avec ma poudre. Qu'est-ce qui se passe ?

— Je ne veux pas vous contrarier, tous les deux, mais je pense vraiment qu'on devrait voir les problèmes d'Ethan plus tard, lance Lévana. Nous n'avons plus que quelques minutes avant que Carmilla nous aspire comme des briques de jus de pomme. Ethan, tu as un plan ?

— Les esprits hurlent tous en même temps, je ne comprends rien. Je suis désolé.

Le pauvre homme semble lutter entre la crise d'angoisse et la folie. Soudain, ses yeux se figent et un voile opaque se place sur ses pupilles. Avec une voix d'outre-tombe, il lance :

— Donne-lui maintenant ! Et renvoie-la à l'extérieur. Elle trouvera ce qu'il lui faut.

June attrape le visage d'Ethan, en panique.

— Mais qu'est-ce qui t'arrive ?

— C'est Thya, je suis encore un jeune esprit, mais j'ai pris possession de son corps, je vais vous aider. Ne vous inquiétez pas pour Ethan, je vais lui apprendre…

Soudain, il bascule sa tête en arrière et revient à lui en prenant une grande bouffée d'oxygène.

— Les voix… elles ne sont plus là… elles me laissent tranquille…

Lévana est tombée sur les fesses en entendant la voix de Thya à travers le corps d'Ethan, elle regarde le garçon comme si elle avait vu un fantôme, et c'est un peu ce qui s'est passé. June l'observe puis lui dit :

— Donne-lui le sang ! Vite !

Mais la sorcière des bois est comme figée sur place, alors la petite fée lui assène une gifle puis lui lance :

— Désolée, mais c'est ton plan, alors tu vas devoir te sortir les doigts du cul.

De nouveau, Ethan ne bouge pas et récite de manière absente :

— Thya ne t'en veut pas. Elle te remercie, tu l'as libérée d'un pouvoir très sombre. Elle désire que tu tues MacGregor pour s'être servi d'elle. Et elle t'aidera à travers moi.

Lévana hoche la tête et se redresse, plus déterminée que jamais. Carmilla est toujours à l'agonie. Son souffle irrégulier ressemble plus à des gargouillis. Je doute que, dans son état, elle arrive à boire quoi que ce soit. June s'exécute, relève le cou de la vampire et apporte une poche à ses lèvres. Elle fait couler le sang délicatement. Cela forme des bulles d'hémoglobine qui s'agitent sous le souffle agonisant de Carmilla.

— Elle n'ingurgite rien. J'ai l'impression de l'étouffer. En plus, l'odeur me donne envie de rendre le peu que j'ai dans l'estomac.

— Ne fais pas ta précieuse ! Débrouille-toi pour qu'elle en avale un maximum. Dès que tu penses qu'elle reprend vie, tu te barres de la cabane. En attendant, nous allons faire croire aux trois autres que nous paniquons. Il ne faut pas qu'ils interviennent tout de suite.

June reprend son rôle, elle sent un papier dans le soutien-gorge de Carmilla. Elle le sort, laissant tomber la pauvre femme sans ménagement.

— Doucement, lui reproche Ethan.

— Elle est immortelle, certes dans un sale état, mais à moins qu'un pieu ne se loge dans sa poitrine…

La jeune femme sourit et replonge les mains dans le décolleté de Carmilla. Est-ce qu'elle la pelote allègrement ? Il faut dire que June est plate comme une planche à pain, cela doit la changer de tripoter des pomelos si vous voyez ce que je veux dire. Un peu d'humour. Vous avez tous compris qu'elle prend le couteau de Carmilla. Avec un sourire carnassier, elle lance :

— On va pouvoir tuer du vampire…

Mais que contient le petit mot de MacGregor ? Vous mourez d'envie de le savoir ! Vous vous en doutez, mais ce ne sera pas pour maintenant. Vous allez devoir patienter, car j'adore vous rendre fous. Et puis les spéculations vont aller bon train. Je laisse place à votre imagination, n'hésitez pas à m'écrire des lettres qui sortent de vos esprits tordus, et promis, demain je vous lirai la plus sordide. J'adore lancer un concours inopiné… Tous à vos plumes, prêts, feu, partez… Mais avant ça, je me dois de vous parler du pauvre Ethan qui subit une déconvenue de taille. Il se retrouve avec des esprits dans le crâne. Je ne sais pas si les garous vont le considérer comme fou. Eh oui, on connaît tous le sort de ces pauvres malheureux qui perdent pied… Couic… Couic… Couic. Je vous rappelle, il discute avec les morts, ils peuvent prendre possession de son corps. L'alpha des alphas n'a pas fini de boire son café de travers. Entre ses petits-enfants qui accumulent les bêtises, l'alpha Gabriel qui couche avec une reine vampire et maintenant le petit Ethan qui voit des esprits, je peux vous dire qu'il est au bord du burn-out. Enfin, nous en saurons plus… au prochain épisode.

Épisode 19

Judith Mikelson

« Bonjour à toutes et à tous, c'est un réel plaisir de vous retrouver pour un nouvel épisode de *Treize : qui survivra à MacGregor ?* En ce moment, je dirais plutôt : qui survivra à la fringale de Carmilla ? Car je vous rappelle qu'elle va se réveiller avec une envie folle de sang, et qu'ils sont tous à sa merci. Lévana semble avoir un plan, mais je ne suis pas sûre qu'elle sache où elle va. En tout cas, la jeune femme est déterminée. June a trouvé un mot qui leur est adressé. Elle est écrite de la main de MacGregor en personne. Je dois vous dire que vous m'avez déçue. Je n'ai reçu que des courriers insipides, manquant de profondeur et sans intérêt. C'est pourquoi j'annule le concours, vous êtes si médiocres. Est-ce par le fait que vous vous abrutissez en me regardant ? Je plaisante, bien sûr. J'attends vos lettres avec impatience. Il se pourrait bien que je les lise lors de notre grande soirée finale !

Évidemment, nous allons retrouver nos candidats. Il est temps de découvrir ce courrier… mais aussi la mise en place du plan de Lévana. Je dois vous dire qu'elle m'a agréablement surprise et il se pourrait bien qu'elle ait de la suite dans les idées. Vous voulez en savoir plus ? Place à nos candidats… place à notre épisode… »

Épisode 19

Avant d'aller voir ce que trament nos candidats sur le camp, retrouvons MacGregor et ses deux sbires. Alors qu'il est assis sur la glacière, MacGregor semble perdre patience. Il demande à Severn :

— Tu as mis si longtemps à te réveiller de la soif ? D'habitude, Carmilla devient beaucoup plus rapidement le monstre sanguinaire que nous connaissons.

— Je pense qu'elle lutte, et cela pourrait prendre des heures.

— Je ne vais pas rester à regarder les moucherons s'agiter. Je retourne au camp. Je leur ai laissé un ultimatum. Qu'ils me donnent leurs réponses. Évidemment, si Carmilla revient à elle, sifflez pour que j'assiste au spectacle. Je ne suis pas fan des premières parties comme ce que nous sommes en train de voir. Compris ?

Les deux comparses acquiescent. MacGregor sourit de toutes ses dents avant d'ajouter d'un ton légèrement menaçant :

— Évitez de trop comploter contre moi, je pourrais m'en rendre compte.

Sans leur laisser le temps de répondre, il disparaît. Angel trépigne, comme si une envie pressante se faisait sentir, mais c'est surtout l'angoisse qui transpire par tous les pores de sa peau. Elle regarde Severn, qui lui fait signe de se taire. En effet, il se pourrait bien que les grains de sable aient des oreilles, à défaut des murs. MacGregor est retourné s'installer paisiblement sur son transat en bois. Il scrute l'horizon comme le ferait un vacancier dans un hôtel de luxe. Par contre, Lucas, qui traînait près de la porte, a l'ouïe fine. Il se précipite vers Gabriel et lance :

— Il semblerait que Severn et l'autre soient au point de provoquer une mutinerie. Tu penses que c'est possible ?

Le loup n'est pas convaincu, et l'exprime clairement. Pourtant, Lucas est proche de la vérité. Ayden donne son avis.

— Il faut se méfier d'eux. Ils peuvent nous faire croire ce qu'ils veulent. On est tombés trop souvent dans leurs pièges. La seule qui pourrait nous le dire est actuellement sur le point de se réveiller pour nous dévorer.

— D'ailleurs, je ne te comprends pas, Gab, pourquoi Lévana gère ? Son plan est…

Le loup grogne pour témoigner de sa désapprobation, ne laissant pas Lucas finir. Ethan les rejoint, la tête basse. Gabriel ne peut s'empêcher de le renifler et de lui montrer les dents. Le jeune homme semble avoir retrouvé ses esprits, mais pas sa place dans la meute. Il regarde son alpha et lui dit :

— Si je deviens fou, promets-moi de me tuer !

Le loup acquiesce. C'est comme si cette phrase avait suffi à le soulager. June sort en courant de la cabane et lance la lettre à Lévana.

— Je l'ai lue, je te laisse la lire à tout le monde. Je dois faire boire Carmilla avant son grand réveil. Si vous m'entendez hurler, c'est qu'elle m'a bouffée.

Aussitôt, Gabriel se place près de la cabane et observe Carmilla. Lévana déplie la lettre jetée par June et regarde le loup resté devant l'ouverture. Lucas lui dit :

— Il t'écoute et il ne pourra rien dire, donc lis-la-nous.

La sorcière s'éclaircit la voix et se lance :

Mes chers amis,

Je dois dire que vous m'offrez un divertissement des plus appréciables. Je n'ai jamais autant savouré mes vacances meurtrières. Vous avez réussi là où beaucoup ont échoué, tuer un membre de mon entourage.

Je ne suis pas en colère, mais plutôt admiratif. Ceci dit, je reste un prédateur et j'adore jouer avec les moutons. Vous cloîtrer dans un enclos de la sorte est si ridicule. Il me suffirait d'un claquement de doigts pour vous anéantir. Vous êtes si mignons, comme les doux agneaux avant la fête de Pâques. Innocents, et pourtant la mort est près de vous.

Je vous ai envoyé votre très chère amie en agonie. Ne vous inquiétez pas, elle va vite revenir à elle. Par contre, je doute que vous résistiez à sa fringale. Il faut dire qu'elle est un peu à cran quand elle manque de sang. Pour nous, et je m'inclus dedans, vous n'êtes que des canettes de notre boisson préférée.

Ceci dit, je veux bien vous laisser une chance… de survivre. Pour cela, il vous suffit de jeter les trois loups en pâture. Ensuite, vous serez libres ! Évidemment, vous resterez mes esclaves, après tout, vous me devez un serviteur. Mais je vous promets de vous traiter avec le respect que vous méritez.

Vous avez jusqu'au réveil de Carmilla pour me donner une réponse. Nous attendons vos cris de souffrance et votre abdication sur la plage.

Bien cordialement,

MacGregor

Le silence qui suit est lourd et pesant. Tous s'observent. Est-ce que l'un d'eux serait prêt à vendre les loups pour devenir des esclaves de MacGregor ? Ils resteraient en vie, mais de là à parler de liberté, j'en doute. Le sourire qu'affiche Ayden est assez surprenant, et il se met à rire, de plus en plus fort. Il embarque avec lui les autres candidats qui se moquent clairement de cette proposition. Il finit par se rendre à la porte et hurle :

— Oh, les deux abrutis ! Allez rapporter à votre chef qu'il ne nous fait pas peur. Il est mort, c'est juste une question de temps. Je le tuerai de mes mains, les loups n'ont qu'à vous mordre pour que vous deveniez des petites choses pleurnichardes. Notre plan est en marche et vous annoncerez au soi-disant stratège qu'il est tombé les deux pieds dedans. Je vous conseille vivement de rester en dehors de ça, sinon, c'est vous qui regagnerez la cour des damnés.

Il n'a pour seule réponse que le silence des vagues. Il faut dire que l'alpha s'est assis devant lui, faisant briller ses crocs sous la lueur du soleil couchant. Lévana le rejoint et lance à Ayden :

— Bien joué ! Maintenant, il est temps de voir si tes dons sont si spectaculaires qu'on le prétend, sinon nous sommes tous morts.

— Pas de pression, c'est ce que tu me répètes tout le temps !

— C'est juste nos vies que tu tiens à travers tes pupilles.

Il lui jette un regard noir et court en direction de l'abri. Il entre, alors que June tente toujours de nourrir Carmilla, en vain. Une poche est déjà au sol, vide, et le sang est plus sur les genoux de la fée que dans la bouche de Carmilla.

— Elle ne boit rien du tout. Honnêtement, j'ai pris ma poche de sang, mais elle n'a fait que le cracher. J'essaie avec celui de Derek. Elle arrive à peine à en avaler.

— Oui, elle doit en avoir suffisamment dans la bouche le temps que je l'hypnotise sans qu'elle se jette sur moi.

— J'espère que tu es rapide, car je t'avoue que j'ai l'impression de soigner un tigre prêt à se réveiller à tout moment pour me manger.

— Tu devrais sortir et rejoindre les autres. Je vais prendre le relais.

Bien que June soit courageuse, il ne lui en faut pas plus pour laisser tomber sa mission et se précipiter dehors. C'est simple, on a l'impression d'assister à un film d'horreur. Elle a les genoux ensanglantés, le sang à moitié coagulé. Ses mains ont l'air de sortir d'un corps fraîchement mort, et l'odeur qui se dégage d'elle est épouvantable. Gabriel s'avance vers elle, la renifle, et ses yeux s'écarquillent comme des billes. Il grogne, et elle lui lance :

— Je n'ai rien, abruti, c'est mon sang que j'ai donné à Carmilla. Mais elle n'en a pas bu.

Le loup bondit et propulse ses deux pattes avant sur les épaules de la fée, qui tombe sur les fesses. Il plante ses yeux dans les siens. La fée ouvre de grands yeux et demande :

— Comment je peux t'entendre dans ma tête ?

— C'est la capacité des alphas. Mais quand ils le font, c'est que les choses sont graves, explique Lucas. Qu'est-ce qu'il te transmet ?

— Pardon, je ne savais pas.

Elle regarde Lucas et lui répète :

— Je ne dois plus donner mon sang à Carmilla, c'est comme une drogue pour eux, et elle pourrait en devenir dépendante en une seule prise. Il en a profité pour dire qu'il allait rester en loup jusqu'au moment fatidique. Votre position pour combattre les vampires est plus efficace sous cette forme. Il demande à Ethan de ne pas se transformer parce qu'il ne connaît pas les effets, vu sa nouvelle situation, mais il aimerait que toi, Lucas, tu sois en loup.

— OK, je vais me transmuter avant…

— Ne dis rien ! On ne sait pas ce qu'ils entendent.

Je dois dire que ce talent de Gabriel est surprenant. Pour vous, mes chers téléspectateurs, je suis allée à la pêche aux informations. Un alpha peut communiquer avec sa meute par télépathie, mais cela requiert un grand effort. Pour cela, ils doivent avoir un contact visuel et considérer la personne en face comme un membre de leur meute. Cela paraît logique, pourtant je vous rappelle que June est une fée et n'a pas assez de poils pour devenir un loup. Quoique, je ne sais pas si elle s'épile les mois d'hiver. L'alpha qui m'a renseignée a ajouté que les jeunes ne sont pas en mesure de le faire.

Ils sont très rares à réussir avant d'avoir une meute composée de plus de vingt loups. Déduction : notre petit Gabriel est puissant. Qui l'aurait cru ? Après cet intermède explicatif, je vous propose de suivre Angel. Elle s'est empressée de rejoindre MacGregor pour lui annoncer la réponse donnée par Ayden. Il y a très peu de chances qu'elle lui convienne.

Elle arrive toute penaude, tandis que son maître regarde l'horizon. Il lui demande sans même un regard :

— Alors, quelle est la réponse ?

— Je doute qu'elle te plaise.

— Ils n'allaient pas se rendre sans se battre.

— Ayden n'a pas peur de toi. Il est persuadé qu'il te tuera. Ils ont tous ri aux éclats en lisant ta missive.

Elle n'en dit pas plus. De toute manière, il a la réponse à sa jolie lettre de menace. Il garde le silence de longues minutes, puis MacGregor soupire. Il plonge dans une sorte de mélancolie presque touchante. Il tapote le bois entre ses jambes pour qu'Angel prenne place. Il commence à lui défaire ses tresses et lui raconte :

— J'aurais pu avoir une autre vie. Est-ce qu'elle aurait été meilleure ? Je n'en sais rien. Elle est très longue, on parle de centaines d'années. Je ne voudrais pas révéler mon âge, mais j'en ai eu des vies qui se sont suivies. À ton avis, pourquoi les vampires ne peuvent pas enfanter ?

Angel remue la tête, alors que MacGregor commence à lui faire des petites tresses plaquées et lui répond :

— Car nos enfants grandiront, vieilliront, puis mourront. Ce n'est pas dans l'ordre des choses. Un parent ne peut supporter la mort de son bébé, même s'il a quatre-vingt-dix ans. Quand Carmilla est tombée enceinte, je me suis aperçu observant mes descendants dépérir les uns derrière les autres, et je refusais d'imaginer ça. Je préfère encore ne pas m'attacher et les tuer de mes propres mains. Comment crois-tu que Carmilla va réagir en regardant Ayden disparaître ?

— Je ne sais pas.

— Arrête de bouger, tu veux bien !

Il lui tire les cheveux pour qu'elle bascule la tête en arrière. Il reprend son tressage et le fil de sa pensée.

— Elle le voit comme si c'était son rejeton, mais son fils est décédé certainement depuis plusieurs années. Quand Ayden va mourir, elle va être folle de chagrin. Un vampire qui ne domine pas ses émotions peut devenir dangereux. J'ai simplement souhaité lui épargner ça. Hélas, elle n'en fait qu'à sa tête. Aujourd'hui, nous sommes plus divisés que jamais. Pourtant, je l'aime comme je n'ai jamais aimé personne auparavant. Je désire juste lui éviter cette souffrance. Si je le tue de mes mains, elle m'en voudra et cherchera à se venger. Alors elle ne sombrera pas dans la folie.

— Tu oublies qu'il a des facultés qui te laissent sans pouvoir devant lui. Tu ne peux pas l'hypnotiser, mais lui, en l'occurrence, peut le faire.

— Ah, tu es chiante !

Il la fait se relever. Elle arbore une coiffure d'une beauté incroyable. Des tresses plaquées serpentent sur sa tête pour se rejoindre dans un chignon digne des plus grands concours de beauté. Il reprend avec un sourire enjôleur :

— Tu n'as pas compris que j'offrais un bon moment télévisuel. Je donnais à nos chers voyeurs de l'émotion. En vérité, je veux juste buter ce petit con, car il pourrait m'obliger à me massacrer moi-même. Et puis il m'a volé Carmilla. Il n'y en avait que pour lui. Enfin, je parle de son ancêtre. Après, il a un quelque chose qui me rappelle moi. Je suis unique, il ne peut pas y avoir un double. Il va mourir et Carmilla le tuera. Elle en souffrira à en crever, alors je serai là pour la consoler.

— Génial ! Ça vaut le coup de te désobéir. J'aurais peut-être dû faire ça avant.

Elle n'a pas tout à fait tort. MacGregor vous cite en personne. Il vous prénomme les voyeurs, ce terme vous va si bien, vous ne trouvez pas ? Après, il peut jouer les méchants autant qu'il veut. Nous avons vu une part de sincérité dans ses paroles. En tout cas, il semble prêt à en découdre. Pourvu que le plan de Lévana fonctionne et que nos candidats ne subissent pas la faim de la reine de l'essaim de Bourgogne. Tout le monde est tendu quand on a les crocs, mais je crains fort que la belle ne se serve de ses propres camarades comme banquet. Évidemment, je ne vais pas tout vous dévoiler d'un coup. Comme un bon strip-tease, il faut y aller couche par couche. Vous connaissez la rengaine… La suite au prochain numéro.

Épisode 20

Judith Mikelson

« C'est avec un vrai plaisir que j'ai la joie de vous retrouver pour un nouvel épisode de *Treize : qui survivra à MacGregor ?* Nous l'avons quitté quelque peu mélancolique et nous allons le récupérer déterminé. Un beau combat se prépare, et une mort dans d'atroces souffrances aussi. Mais qui ? Je ne vais pas vous le dire ! Ce serait bien trop cruel de ma part.

Vous désirez des indices ? Je n'ai pas le temps de jouer aux devinettes aujourd'hui… place à nos candidats… »

Épisode 20

Eh oui, j'ai raccourci la présentation. J'avais bien trop peur de vous spoiler. Nous retrouvons nos candidats dans le camp. Ayden est toujours au chevet de son aïeul, il tente de lui donner du sang, en vain. Il reste sur le qui-vive, car Lévana a un plan et elle compte bien réussir. Elle se tient devant la cabane et passe son temps à regarder le soleil se coucher. Elle n'arrête pas de poser la même question au métamorphe.

— Tu me dis dès qu'elle bouge ! Je crois en toi ! Tu es notre seule chance de nous en sortir !

— Heureusement que tu m'as répété « sans pression ». Lévana, s'il te plaît, laisse-moi me concentrer.

La sorcière des bois ne tient pas plus de dix secondes avant de reposer la question. La situation ne semble pas vraiment bouger, si ce n'est que Lucas se transforme en loup. Les articulations se disloquent sous les grimaces de souffrance du pauvre homme. June l'observe, à la fois fascinée et dégoûtée par le spectacle. Lorsque tout est fini, elle s'approche de lui et lui dépose un baiser sur la truffe.

— Le processus a l'air si douloureux.

Le loup la regarde, et la fée se jette à son cou avec des larmes dans les yeux. Gabriel s'avance vers elle et le bouscule pour prendre sa place. La jeune fée sourit et lui dit :

— Je tenais à m'excuser pour mon comportement. Je me rends compte que vos instincts sont basés sur la violence, et je ne me rends pas compte de ce que vous pouvez vivre au fond de vous. Je me suis montrée intolérante et sans compréhension. Gabriel, j'espère que tu me pardonneras mon attitude détestable.

Il plante ses yeux dans les siens, elle fronce les sourcils avant d'enlacer sa grosse tête sous les grognements de son pote. Il faut dire que les loups peuvent être légèrement possessifs avec leur compagne. Gabriel n'en tient pas rigueur, mais s'éloigne rapidement de la fée. Aussitôt, Lucas se jette sur elle pour quémander des caresses. Elle lui demande :

— Pourquoi j'arrive à parler avec ton alpha, mais pas avec toi ?

Elle n'a que le silence comme réponse, même s'il lui donne des coups de museau pour réclamer des caresses. Elle finit par lui dire :

— Sois prudent ! Vous allez être exposés avec le plan de Lévana.

Il semblerait que nos deux loups deviennent de jolis chiens domestiques au contact des fées. C'est un brin d'humour, je ne voudrais pas me mettre toutes les meutes à dos. En même temps, nos deux peuples ont toujours été amis et solidaires. Les fées et les loups, main dans la main pour combattre le mal. On dirait presque le début d'une fable.

En attendant, il est temps de retrouver MacGregor. Malgré les paroles rapportées d'Angel, il n'a pas bougé. Il lui demande :

— J'aimerais avoir ton avis sur la situation. Après tout, tu es mon bras droit depuis si longtemps. Qu'est-ce que tu penses de tout ça ?

— Carmilla est ta faiblesse. Tu nous as toujours dit qu'il fallait éliminer les menaces, et pour moi, ce n'est pas Ayden. Tu as failli mourir tellement de fois pour cette pauvre cloche, et tu nous entraînes dans ta chute.

— Je vois. Ton avis me surprend peu, mais j'en prends note.

— Honnêtement, MacGregor, tu dois le reconnaître. Elle causera ta perte et je ne le souhaite pas, mais aussi ta mort. Et…

— Et pourtant tu conspirais avec Severn ! Je ne suis pas au courant, j'en déduis que je ne fais pas partie de l'équation. Tu as toujours été indécise, Angel. Tu ne sais jamais ce que tu veux. Je vais te donner un conseil.

Il se lève brutalement et la plaque contre un arbre. Il lui passe la main derrière la tête et colle son front au sien pour la maintenir dans cette position. Il lui murmure :

— Choisis ton camp ! Fais le bon choix ! Il se pourrait que ma patience atteigne ses limites et que je ne sois pas aussi clément.

— On n'a jamais conspiré, avoue-t-elle, mais nous ne comprenons pas ton combat. Carmilla est une traîtresse, elle t'a causé plus de tort que quiconque en révélant tes plans sur les métamorphes. En sortant d'ici, tu vas être en guerre contre les garous, les fées et certainement une partie des sorciers. Et pourtant, tu conçois encore de la sauver en mettant nos vies en jeu. Tu m'as demandé d'être honnête et je te réponds. Tu aurais dû tuer Carmilla, et surtout ne pas lui rendre une arme qui peut nous faire disparaître. Alors oui, j'envisage de ne pas mener cette bataille à tes côtés. Mais après tout, le crime paie puisque tu la veux toujours à tes côtés.

Elle garde les yeux dans les siens, mais il se pourrait que sa révélation ne plaise pas au patron. Il a un demi-sourire et lui demande :

— Et Severn dans tout ça ?

— Il me propose une porte de sortie et j'envisage de la prendre.

Le rire de MacGregor est glaçant. Il ne lâche toujours pas la jeune femme. Comment a-t-elle pu trahir Severn ? Elle vient de lui avouer toute la vérité sans vergogne. Je me demande comment va réagir le grand patron face à ses révélations. Le moins que l'on puisse dire, c'est que nous ne nous attendions pas vraiment à ça. Il lui saisit le chignon et colle sa bouche sur la sienne. Il l'embrasse fougueusement alors qu'elle laisse ses doigts se balader sur son corps. Va-t-on voir une nouvelle scène torride ? Il recule d'un pas, attrape ses mains et les dépose sur son cœur avant de lui dire :

— Je ne peux pas être entièrement à toi ! Carmilla détient mon cœur. Le collier qu'elle porte au cou renferme une part de moi qu'elle m'a volée. Je ne pourrai être avec toi si je ne la libère pas. Tu comprends ?

— Oui ! Ne t'en fais pas, je vais prendre la suite. Je vais te délivrer de cette sorcière.

Elle le regarde et se jette à son cou avant de disparaître en direction de Severn. Je peux vous dire qu'une vampire vient de se faire manipuler de la pire des façons. MacGregor affiche un sourire diabolique et se frotte les mains. Il lance avec malveillance :

— Le spectacle promet d'être fabuleux. Un combat de filles pour moi, il ne me manquerait que la boue et je serais aux anges, enfin en enfer.

Il se met à rire avant de disparaître. Il réapparaît, bien caché de tout le monde, vers la savane. Il s'installe confortablement. Il bougonne légèrement de ne pas avoir de poche de sang à siroter. Au loin, Severn est toujours assis sur la glacière. Angel ne l'a pas encore rejoint. Est-ce qu'elle va prendre le temps de la réflexion et ne pas tomber dans le piège de MacGregor ? Je ne crois pas, elle a une cacahuète à la place du cerveau. Et pour vous montrer que je ne me trompe pas, elle est à quelques centaines de mètres de là en train de tailler un pieu. Je n'ai jamais compris ces espèces qui fabriquent des armes pour leur propre destruction. Je ne suis pas devin, mais très souvent cela se retourne contre eux. N'ai-je pas raison ?

Lorsqu'elle a terminé, elle rejoint Severn sur la plage, qui lui demande :

— Tout s'est bien passé ? Tu as été bien longue. Il n'est pas avec toi ?

— Non, il a dit de l'appeler au premier cri. Tu le connais, il n'est pas du genre à attendre. Severn, je dois t'avouer quelque chose.

— Tu lui as tout raconté ! Je le sais.

Un profond silence s'installe et les deux vampires regardent en direction du camp. Severn semble complètement insensible à la révélation, alors qu'Angel est toute penaude. C'est étrange comme sa méchanceté a fondu au soleil depuis qu'elle s'est confiée à Severn. Elle soupire et lui dit :

— Si je tue Carmilla…

— Je comprends mieux, il t'a fait son numéro de charme et tu es encore tombée dans le panneau. C'est toujours pareil avec toi. Il suffit qu'il te promette…

— Arrête ! J'en ai conscience. Pourtant, je vais buter Carmilla et tu devrais rester sur tes gardes. Je doute qu'il veuille ta mort. Il t'aime comme un frère. Tu lui as énormément manqué pendant ta mission auprès de l'autre.

— On verra. Chacun pour soi. Bon courage ! Ne te sers plus de moi comme esclave, sinon je te détruis. Compris ?

Elle acquiesce et serre les dents. Leur alliance est la plus courte de l'histoire de la téléréalité. Cela dit, Severn ne serait plus l'esclave de cette dame et il vient de gagner en confort de vie. Par contre, je doute que son patron laisse sa tentative d'indépendance impunie. Mais nous allons devoir patienter, car un cri retentit sur le camp. Il se pourrait que le plan de Lévana soit en marche.

Elle fait les cent pas devant la porte en remuant les lèvres comme pour répéter toutes les étapes de son plan. Un loup gris l'observe, allongé entre elle et la porte. Il tourne souvent la tête vers l'intérieur de la cabane pour regarder sa belle agoniser doucement. Le spectacle à l'intérieur est déconcertant. Il est digne des plus grands films d'horreur, avec une profusion d'hémoglobine. Ayden tient le corps de son ancêtre et tente de lui faire boire du sang qu'elle recrache en panaché au-dessus de lui. Il lance à ses compatriotes :

— Honnêtement, ne comptez plus vous reposer ici. La cabane pue à mort.

— Oh, c'est très fin de dire ça, Ayden, alors que tu tiens un corps à l'agonie dans les mains.

Ils rigolent, déclenchant un demi-sourire à Gabriel. Très vite, les rires sont remplacés par des cris d'angoisse. En effet, il n'a fallu qu'une microseconde à Carmilla, pour passer de mourante à bête sauvage. Ayden réagit tout de suite et lui jette trois poches de sang au visage. Elle les rattrape et les engloutit en un rien de temps. Ayden est rapide lui aussi ; il la plaque contre le mur alors que ses pupilles tournoient comme un disque hypnotique. Aussitôt, la vampire se fige et murmure à peine :

— Je t'en prie, tue-moi ! Ton emprise ne durera pas assez longtemps pour vous sauver de la fièvre de la soif.

Vous voulez savoir ce qu'Ayden va faire ? Mais avant de vous le dire, je me dois de vous raconter ce qui se passe sur le camp. Quoi ? Vous voulez savoir si le métamorphe aura assez de pouvoir pour garder Carmilla sous son emprise ou si les candidats du camp vont être vidés de leur moindre goutte de sang comme des briquettes de jus de raisin ? Bien sûr. Mais je n'ai jamais été gentille, je ne vais pas commencer alors que nous approchons de la fin. Reprenons !

Lorsque Carmilla a bougé, Lévana a fait signe aux autres candidats du camp. Ils se sont mis à pousser des cris, à supplier de les épargner. Ils ont renversé des assiettes, Lévana a fait voler des lianes tandis que Derek jonglait avec des boules de feu. Honnêtement, vu de l'extérieur, je peux vous garantir qu'il règne un réel chaos dans le camp. Mais tout est très organisé, les vampires n'y ont vu que du feu. MacGregor rit aux éclats et disparaît pour réapparaître près des deux autres, qui sursautent devant sa venue. Vous pensiez vraiment que je louperais le début du show de notre belle Carmilla ? Maintenant, j'ai une question qui me taraude. Et vous, qu'allez-vous faire ?

Encore une fois, je ne vais pas vous apporter cette réponse tout de suite. Il se pourrait que vous ne l'ayez que dans le prochain épisode ! J'aime tellement vous torturer. Retournons à la cabane de la mort. Je vous rappelle que Carmilla supplie Ayden de la tuer pendant qu'il la tient par ses pupilles, et il se pourrait que MacGregor n'ait pas pensé à tout. Ayden regarde son ancêtre et lui dit :

— Ne t'en fais pas ! Il est temps que nous nous battions. La défense, c'est fini, et tu vas être notre première balle. Je t'ordonne de boire le sang qui se trouve dans la glacière sur la plage, et seulement celui-là ! Tu as le droit de tuer tous ceux qui se mettront en travers de ton chemin. Tu auras des alliés à tes côtés et tu n'as pas le droit de les toucher. Tu devras être à moins de cinq mètres de moi. Compris ?

Carmilla acquiesce et déglutit avec difficulté. Elle progresse péniblement, comme si une laisse la tenait prisonnière d'Ayden. Il avance et lance aux autres :

— Gardez vos distances ! Vous devez toujours vous trouver à plus de cinq mètres d'elle !

Carmilla a les yeux rouge étincelant, les veines autour de ses yeux sont ressorties et ont pris une teinte violacée. Dès qu'elle croise un candidat, elle feule comme un tigre prêt à attaquer sa proie. Mais c'est comme si une chaîne l'empêchait d'aller plus loin. Lévana fait un signe de tête aux loups qui s'élancent devant la porte. Ils se placent de chaque côté et courent sur la plage.

MacGregor semble déçu et dit :

— Ils n'auront même pas mis dix minutes pour jeter les loups hors du camp. Il ne nous reste plus qu'à les cueillir.

— Attends, lance Severn. C'est un piège. Ils sont sous forme de loup. Il y a quelque chose qui cloche et ils ne sont que deux.

— Normal, la chamane a tué le troisième.

Je te dis qu'il y a quelque chose de pas normal. Regarde !

Ayden passe la porte comme un guerrier viking. Il en impose, et les vampires ne diront pas le contraire. Il fixe MacGregor et le pointe du doigt en jouant avec le couteau de Carmilla. Les loups sont de chaque côté, à cinq mètres de lui, les babines retroussées, prêts à en découdre. Ils avancent tout droit en direction… de la glacière !

Lévana sort et fouette des lianes tandis que Derek tient une énorme boule de feu devant lui. June vole au-dessus et donne des ordres sur leur position. Le combat est sur le point de commencer, Severn et Angel n'ont pas encore rendu leur réponse. Qu'est-ce qu'ils vont faire ? Abandonner MacGregor à son sort ? Combattre en son nom ? Le mystère reste entier. Notre relation dure depuis trois saisons et vous me connaissez… la suite… au prochain épisode.

Épisode 21

Judith Mikelson

« Bonjour à toutes et à tous, c'est avec un immense plaisir que je vous retrouve pour un nouvel épisode de *Treize, qui survivra à MacGregor ?* En tout cas, l'ombre d'un combat est sur le point de commencer, nous l'attendions depuis tellement longtemps. Nos candidats se rebellent et nous pourrions assister à un spectacle révolutionnaire. Mais qui gagnera cette bataille ? Est-ce qu'il y aura des morts ? Tout ce que je peux vous dire, c'est que nous allons assister à un show digne des plus grands matchs de catch. Alors, je lance les paris. Qui succombera en premier ? Je sais que vous misez sur les candidats finalistes, et je peux vous dire que les cotes sont plus en faveur de MacGregor. Vous ne croyez pas en nos candidats d'espèces différentes ?

Tout cela pour vous dire d'être prudents avec les jeux d'argent. Certains y ont laissé leurs chemises. Je vous rappelle que seuls les paris pris dans les bureaux de fée sont légaux. Pour les autres, je vous conseille de vous méfier. Il y a beaucoup d'arnaqueurs qui surfent sur le succès de notre émission. Je remercie aussi tous ceux qui nous traitent d'escrocs en prétendant que tout est scénarisé. Je peux vous garantir que les morts sont bien morts et ne reviendront plus. D'ailleurs, je tiens à m'excuser auprès de la communauté de chamans qui nous intente un procès pour mise en danger de la vie d'autrui. Hélas, les papiers qu'avait signés la belle Thya nous dédouanent de toute responsabilité. Après ce petit intermède légal, il est temps de retrouver nos candidats pour l'un des premiers combats… et j'ai tellement hâte… »

Épisode 21

Nous retrouvons nos candidats en formation. Ils sont tous prêts à en découdre, mais quelle va être la réaction des vampires ? La question demeure entière. June hurle des ordres de sa position élevée dans les airs. De son point de vue, on a l'impression d'assister à un ballet aérien. Par contre, MacGregor n'a toujours pas aperçu Carmilla. Une lueur d'angoisse se dessine dans ses yeux lorsqu'il demande :

— Vous pensez qu'ils ont réussi à la tuer ?

— Et alors ! Tu serais libre, lui lance Angel.

Elle n'a pas de réponse jusqu'à ce qu'Ayden, dans un « pouf », se transforme en aigle et montre la reine de l'essaim de Bourgogne affamé. Elle a un sourire carnassier sur les lèvres et feule devant tout le monde comme un félin sauvage. Soudain, elle s'arrête quand elle aperçoit les trois autres. Ayden survole au-dessus d'elle et vient se poser sur son épaule. Elle lui caresse le menton et crie :

— Je ne peux pas le saigner sous sa forme animale. Il faut dire que son don est plutôt utile pour m'empêcher de perdre pied. Il semblerait que l'arme que tu leur as envoyée va se retourner contre toi.

Ses cheveux sont devenus blancs et ondulés. Sa peau ressemble à du marbre, et avec ses yeux brillants rouges, elle a des airs de monstres sexy de films d'horreur pour humains. Son rire cristallin retentit sous ses traits de jeune femme, c'est simple, j'en ai encore les poils tout droits.

June continue à diriger le ballet des guerriers, quand soudain, elle se tait et hurle à Ayden :

— On est en place.

— Et pour quoi faire ? Vous pensez sérieusement que vous êtes de taille face à nous ?

— À nous ? Tu te trompes, tu es seul, lance Ayden.

MacGregor marque un temps d'hésitation et jette un regard aux deux autres, qui ne le contredisent pas. Il bondit et s'éloigne de ses deux compagnons. Angel lui dit :

— Qu'est-ce que tu fais ? Ils te mentent.

C'est déjà trop tard. Un mur de feu empêche MacGregor de les rejoindre. Très vite, les sorciers s'arrangent pour le tenir hors de portée des deux autres. Une cage de lianes s'est formée autour de lui, suivie d'un cercle de feu. Lévana lance alors à MacGregor :

— Il est temps que nous prenions part à ton jeu malsain. Tu vas voir tes deux amis mourir sans pour autant bouger. Après tout, dans une cage de lianes et de feu, ton hypervitesse ne sert à rien.

— Je peux me libérer, mais peut-être que je n'en ai pas envie.

— Eh oui ! Sont-ils de ton côté ?

Au même moment, Ayden s'envole et se dirige à pleine vitesse vers la glacière.

— Plus vite… allez… hurle Carmilla.

Elle lutte comme si une laisse la retenait et l'empêchait d'avancer. Elle en devient même floue tellement qu'elle trépigne sur place malgré l'envol de l'aigle. Angel se place devant elle, prête à la recevoir. Lorsque Carmilla arrive sur elle, elle l'envoie voler d'une simple gifle à plusieurs mètres de là. Aussitôt, Ethan sort du camp et court dans sa direction en compagnie de June et de Lucas. Elle est très vite encerclée. June agite ses ailes pour créer une tempête de sable et lui lance :

— Tu as beau être une vampire, avec du sable dans les yeux, tu n'y vois plus rien.

Elle a raison, puisque Carmilla se frotte les yeux et donne des coups au hasard. Alors, Lucas entre dans la danse et se jette sur elle. En apercevant cela, MacGregor arrache les lianes qui le retiennent et part dans sa direction pour venir à son secours. Aussitôt, Lucas saute en arrière et prend ses distances. Lévana fait pousser une liane qui attrape la patte du loup et l'attire vers elle. Alors, un mur de feu se dresse devant les deux vampires. Ils se protègent le visage et sont obligés de reculer. Derek est à l'œuvre, on lit l'effort sur son visage. Lévana l'encourage de toutes ses forces pour qu'il le maintienne le temps que le plan fonctionne. Il retourne petit à petit en direction du camp.

Évidemment, ils ne peuvent plus compter sur Carmilla qui est en train de littéralement vider la glacière. Elle enchaîne les poches de sang, comme le ferait un homme avec de l'eau après des jours dans le désert. Ayden reste au-dessus d'elle et surveille le champ de bataille. Par contre, Severn est isolé face à Gabriel qui lui montre les dents et grogne avec rage. Le vampire lui lance :

— Enfin ! J'attends ce moment pour te détruire depuis des jours. Je vais t'infliger une défaite dont tu te souviendras. Tu es un loup mort.

Il s'élance vers lui à toute vitesse, mais le loup le contre et lui saute dessus. L'homme tombe à plat dos et Gabriel le mord à l'épaule. Il secoue sa mâchoire avec rage pour le démembrer, mais le vampire lui colle un coup de poing dans les côtes qui le fait couiner. Il n'a pas d'autre choix que de lâcher sa prise. Le vampire tente de se relever, mais il est comme étourdi. Il se passe une main sur le visage, ce qui laisse le temps à Gabriel de rejoindre les autres. Lévana le voit et hurle :

— Le plan a fonctionné à un détail près.

Le loup regarde Carmilla. Elle est toujours agenouillée près de la glacière. Elle est beaucoup trop loin d'eux pour arriver au camp à temps, à moins qu'elle retrouve ses esprits. Le bouclier de feu qui empêche MacGregor et Angel de les atteindre est déjà en train de faiblir. Alors le loup pousse un hurlement à déchirer les âmes. Carmilla se fige une microseconde et regarde dans sa direction. Ses cheveux ont repris une teinte noir-ébène. Elle se redresse et saisit l'aigle posé près d'elle. Elle disparaît pour réapparaître à côté du loup gris. Aussitôt, la barrière de feu s'éteint. Carmilla avance d'un pas et hurle à MacGregor :

— Échec ! Tu devrais rejoindre ton fidèle bras droit, je crois qu'il est sur le point de perdre le sien. Je lui souhaite une bonne et douce agonie. Il ne se réveillera pas de celle-là. Gabriel l'a mordu et il va crever dans d'atroces souffrances. Je te conseille de bien le regarder, car je crains fort que ce soit ton avenir.

MacGregor disparaît pour réapparaître devant elle, aussitôt Lucas claque sa mâchoire dans le vent. En effet, il est déjà loin, mais une liane l'a fait chuter. Lévana se place à côté de Carmilla.

— Tu devrais faire attention où tu mets les pieds. Tu as deux minutes pour prendre Severn et tenter de le sauver. Sinon, nous relançons une deuxième attaque. Je doute que tu survives à la prochaine. Il semblerait que les moutons se soient dressés contre le loup.

MacGregor pousse un cri de rage et de frustration, il jette son poing dans le sable. Les candidats du camp sont tous rentrés dans leur forteresse. Ethan et les deux loups l'observent. Alors, le jeune homme lui lance :

— Tu as les salutations de Thya. Elle me charge d'un message pour toi : la Cour des damnés t'attend depuis trop longtemps. Profite de ces derniers jours sur Terre.

MacGregor rejoint Severn, qui est toujours au sol. Il le soulève délicatement et demande à Angel de le ramener près de leur camp. Il se dirige ensuite vers la glacière et, à sa grande stupeur, il ne reste plus rien. Plus une poche. Il retourne vers la porte, et aussitôt les loups se mettent à hurler. Alors, Lévana s'avance suffisamment pour qu'il voie qu'elle tend son bras à Carmilla, qui plante ses crocs dedans. Elle lui dit avec une toute nouvelle assurance :

— Elle mange mon sang et mes pouvoirs. Je ne donne pas cher de ta peau lors de notre prochaine rencontre. Prends soin du traître pour que sa mort soit lente et douloureuse. Tu voulais deux femmes à tes pieds, elles s'unissent pour te détruire. Bonne chance !

Alors, elle se tourne vers Carmilla et lui caresse les cheveux comme il a pu le faire auparavant. La reine des vampires regarde son ex-mari dans les yeux, tout en léchant le sang qui s'écoule du poignet de la sorcière des bois. Elle s'arrête, s'agenouille et plante ses mains dans le sol. Deux lianes se précipitent vers MacGregor pour le poignarder. Il réagit très rapidement et s'écarte au dernier moment. Il n'est pas assez rapide et l'une des lianes le gifle en plein visage, lui faisant une écorchure sur toute la joue. Alors, le rire des deux femmes se fait entendre, accompagné de ceux de tous les candidats du camp.

MacGregor n'a pas d'autre choix et rebrousse chemin. Il disparaît et réapparaît près de Severn et Angel. Elle l'a déposé délicatement sur le transat en bois du chef. Son visage n'est que souffrance. C'est comme si son corps commençait à se décomposer alors qu'il est encore vivant. D'ailleurs, Angel place une main sur son nez tellement l'odeur qui sort des pustules de la plaie semble forte.

J'ai très envie de vous révéler ce que la défaite du clan MacGregor va donner, mais ce ne sera pas pour cet épisode. Non, car nous allons retourner au camp pour voir nos candidats. Je ne sais pas si c'est l'adrénaline ou l'ivresse de la victoire, mais tous se tombent dans les bras et se congratulent en poussant des cris de joie et des rires. Pourtant, la guerre semble loin d'être gagnée. Carmilla est peut-être la seule à en avoir conscience. Elle s'assied près de Gabriel et lui dit :

— Il faut que tu reprennes ta forme humaine, nous devons parler. MacGregor a perdu une bataille, mais il ne s'est pas vraiment battu. Nous devons être vigilants. Je crains fort que les autres n'en aient pas conscience.

Le loup s'éloigne et entame sa transition. En quelques minutes, il revient vers sa belle reine vampire. Il s'assied et remet son tee-shirt. Il attrape un morceau de viande séchée et le fourre dans sa bouche, puis lui dit avec une voix rauque :

— Laissons-leur un peu de répit. MacGregor a d'autres chats à fouetter avec Severn. Nous ne le verrons pas avant la nuit prochaine.

— OK ! Tu m'en veux d'être allée là-bas toute seule ?

— Je n'ai pas envie d'avoir une nouvelle saute d'humeur. Mon loup n'a pas l'air d'avoir intégré l'information, et je ne désire pas qu'il me fasse péter les plombs.

Elle sourit et pose sa tête contre lui, alors que les autres sont tous en train de danser et chanter devant le feu. Seul Derek est resté assis dans son coin à manger son morceau de viande. Lévana finit par venir le rejoindre et lui demande :

— Est-ce que tu retrouves des forces ? J'ai vu que tu avais puisé dans tes réserves.

— Oui, je suis endurant, mes capacités reviennent vite avec des protéines.

Il lui montre le morceau de viande séchée, mais son regard est toujours aussi maussade. La sorcière des bois reprend :

— Pourquoi tu ne sembles pas heureux ? Severn va mourir dans d'atroces souffrances.

— J'aurais voulu être capable d'en faire plus. Artémis me manque… et tu as trouvé ta place dans le groupe.

— Crois-le ou non, tu as la tienne plus que tu ne le penses.

— Je ne sais pas si je pourrai rentrer chez moi lorsque tout sera terminé. Quand on connaît comment sont nos familles… Le monde des sorciers est l'un des plus corrompus.

— Personnellement, je ne vais pas retourner auprès de ma famille, je vais suivre Ayden. Ma mère voulait démontrer de quoi nous étions capables, et souhaitait m'endurcir. Elle a gagné. J'ai décidé d'être indépendante et de vivre ma vie loin de ses règles et de celles des sorcières. Tu devrais réfléchir à tout ça toi aussi. Je te laisse, je vais profiter de ce moment de joie, ils sont si rares ici.

Elle lui pose une main sur l'épaule, tandis que le jeune homme se lève et sort du camp. Ethan lui demande s'il peut l'accompagner. D'ailleurs, le garçon semble redevenu lui-même. Enfin, il y a quelque chose en lui qui a changé. Mais encore une fois, si vous souhaitez en savoir plus, il va falloir vous montrer patients. Eh oui ! nous sommes déjà à la fin de notre épisode, et je dois dire que celui-ci a été riche en rebondissements. Qui aurait cru que nos candidats, si désunis, puissent mener une attaque de front ? Par contre, je ne comprends pas ce que voulait dire Carmilla. MacGregor ne s'est pas battu ? Aurait-il laissé mourir Severn délibérément ? En même temps, il a fait plusieurs tentatives de trahison, et pourtant il n'est jamais allé au bout. Tout ce que je peux vous révéler, c'est que nous allons suivre sa longue agonie, et sortez les mouchoirs, il y a fort à parier que certains vont verser leur petite larme. Après tout, on lui doit bien ça, il a su nous divertir comme personne, et ses coups d'éclat ont apporté tellement de panache à notre émission. Oh, que oui ! Sans lui, l'aventure aurait été bien fade. Vous connaissez la rengaine… La suite au prochain numéro.

Épisode 22

Judith Mikelson

« Bonjour, mes très chers téléspectateurs. Je suis ivre de bonheur de vous retrouver pour ce nouvel épisode de *Treize : qui survivra à MacGregor ?* On peut dire que ce n'est pas Severn, puisque ses heures sont comptées. Mais il était du côté du grand méchant, donc je ne sais pas s'il faisait vraiment partie du jeu. Je plaisante, bien sûr. En tout cas, nous allons vivre ses dernières heures.

Nous allons retrouver nos candidats qui ont fêté leur victoire comme il se doit pendant une bonne partie de la nuit, et des rapprochements ont eu lieu. Encore une fois, si vous souhaitez avoir les épisodes non censurés, je vous rappelle que vous devez vous abonner à notre service. Je peux vous dire que vous ne serez pas déçus, enfin, pour les plus coquins d'entre vous. Après cette petite page publicitaire, je vous propose d'aller voir nos candidats qui se réveillent après cette nuit endiablée. Place à notre épisode… »

Épisode 22

Avant de retrouver nos candidats, je me dois de faire un tour du côté de chez MacGregor. La nuit a été beaucoup moins sympathique. Étrangement, le plus vieux vampire d'Europe aurait un cœur. À moins qu'il se joue de nous, comme il aime tant le faire. En tout cas, il semble touché par la souffrance de Severn.

— Apporte-lui de l'eau ! crie-t-il à Angel.

Elle s'exécute, mais ne peut s'empêcher de lever les yeux au ciel.

— De toute manière, il est condamné. Je n'ai jamais vu un vampire survivre à une morsure de loup.

— Fais ce que je te dis, je ne te demande pas de commenter. Tu es en grande partie responsable. Ne t'en fais pas, je te le ferai payer.

Elle prend un seau, se dirige vers la source d'eau potable la plus proche et revient le plus vite possible. Elle tend le seau, tandis que MacGregor plonge une serviette dedans et nettoie la plaie. On voit très clairement la peau se nécroser tout autour de la morsure. Elle s'étend le long du bras et gagne du terrain à vue d'œil.

— Ce putain de loup a tout fait pour qu'il souffre le martyre. Il va lui falloir de longues heures avant de mourir.

— Tu n'as qu'à lui enfoncer un pieu dans le cœur, et on n'en parle plus, lance Angel.

Elle semble avoir remis sa carapace de petite peste insupportable. Vous ne trouvez pas ? On voit clairement que c'est une manière de se protéger, mais je doute que son patron l'accepte. D'ailleurs, il s'est levé subitement pour l'attraper par le cou et la soulever de quelques centimètres.

— Ne joue pas à la fille insensible. Je n'ai pas le temps pour ton show. Nous allons l'accompagner jusqu'à la fin. Compris ?

Elle ne peut pas vraiment lui répondre, vu sa position, mais il n'attend pas vraiment de réponse. Il la projette contre le tronc d'un arbre et retourne au chevet de Severn, qui se tord de douleur. Il prend une serviette propre qu'il plonge dans le sang, et la pose sur le front brûlant de son ami. Il lui caresse le visage dans un geste tendre et lui dit :

— Je suis désolé, ils m'ont eu. Si tu savais comme je m'en veux. Après toutes ces décennies passées loin de moi, je te retrouve à peine pour te voir mourir. Severn, est-ce que tu me pardonnes ?

Il n'a comme réponse que le silence. Severn vient de s'endormir, mais son repos sera de courte durée, car la nuit va être très longue pour eux.

Nos candidats, quant à eux, ne se posent pas tant de questions. Comme je vous l'ai rapidement expliqué dans l'épisode précédent, ils fêtent allègrement la victoire. June et Lucas affichent leur amour à qui veut le voir. Ayden et Lévana sont beaucoup plus pudiques, ils ressemblent à deux adolescents prépubères. C'est tout aussi ridicule. Carmilla n'a pas le cœur à la fête et Gabriel reste à ses côtés. Ethan est, quant à lui, en grande discussion avec… le vide. Il parle seul et je dois dire que, même chez les surnaturels, c'est une marque de folie. Derek se place devant lui et lui murmure :

— Tu devrais être vigilant ! Ton alpha t'observe, et te voir discuter avec un arbre laisse planer un doute sur ta santé mentale.

— J'essaie de comprendre ce qu'il m'arrive. Je ne suis pas fou.

— Très souvent, les personnes mentalement dérangées le hurlent sur tous les toits. Tu devrais te montrer discret. Les garous ne sont pas fans des excentriques. C'est en partie pour ça qu'Isabella n'est plus de ce monde.

— Je ne suis pas dingue ! C'est juste que, en mourant, Thya m'a transmis une partie de ses capacités. Elle s'en veut d'avoir succombé au bijou. Elle m'explique que c'est comme s'il était entré dans sa tête. Mais nous avons un autre problème. Profite de la soirée, j'en parlerai plus tard.

— Dis-moi ! Contrairement à eux, j'ai conscience que nous sommes loin d'être tirés d'affaire.

— Il va falloir récupérer le pendentif et le briser. Thya n'est pas avec ses ancêtres. Elle est condamnée à errer avec les âmes damnées. Sa seule chance de pouvoir rejoindre les sages, c'est de détruire ce bijou.

— Carmilla a l'air de l'apprécier énormément. Je doute qu'elle soit d'accord.

— C'est pour ça que je ne dis rien. Tout le monde a mérité une soirée de paix sur le camp. Mais, demain, elle n'aura pas le choix.

Il ne laisse pas le temps à Derek de répondre et s'éloigne de lui. Il se dirige vers le feu et se sert en viande séchée avant de se dissimuler derrière la cabane. En moins de temps qu'il ne faut pour le dire, Gabriel et Lucas se précipitent vers le sorcier pour l'interroger.

— Il est en train de perdre pied. Dis-nous la vérité !

— Pas du tout ! Il est même plus lucide que certains d'entre eux.

Il montre Lévana et Ayden en train de danser sur une musique inexistante. Derek reprend :

— Il va vous parler, mais vous allez devoir avoir l'esprit ouvert. Ce n'est pas l'une de vos qualités chez les garous.

— Je te rappelle que je viens de me taper la reine des vampires de je-ne-sais-quoi. Et lui, il roucoule avec une fée.

— C'est différent et tu le sais très bien. Excusez-moi, je vais dormir. Quand Severn sera mort, je doute que MacGregor nous laisse une minute de repos. Il se pourrait que la fin soit plus proche qu'on ne le pense.

— Dors tranquille ! Tu as donné beaucoup de toi avec ton mur de feu. On va veiller sur le camp.

— La seule chose que je vous demande, c'est de maintenir le feu. Sinon, je ne vaudrai pas mieux qu'un humain lors du prochain combat.

Les trois hommes se serrent la main et Derek rentre dans la cabane avant de ressortir avec des nausées. Il se dirige dans un coin sombre et s'installe pour la nuit. Eh oui ! La cabane a été repeinte du sang de tous les candidats. La seule qui pourrait dormir dedans, c'est Carmilla, et encore. Est-ce que vous trouveriez le sommeil au milieu d'un plat de salade ? J'en doute. En tout cas, tout le monde se couche après avoir défini les tours de garde.

Arracher le collier de Carmilla pour le détruire, mais je me demande ce que cache tout ça. Les quelques secondes de mort d'Ethan l'ont rendu bien mystérieux, vous ne pensez pas ? Qu'est-ce qu'il y a derrière sa caboche ? Thya ne semble pas vraiment partie et désire occuper le devant de la scène. Mais qu'est-ce qu'il nous dissimule ? Tout ce que je peux vous dire, c'est que nous ne le saurons pas pendant la nuit. Par contre, un autre spectacle nous attend. Il est digne des grandes tragédies grecques. Est-ce que vous êtes prêts ?

MacGregor est assis près de Severn qui dort en poussant d'horribles sons. La transpiration perle sur son front et la douleur se lit sur ses traits. Il remue, tentant de lutter contre un mal invisible. MacGregor a le visage fermé et regarde la scène avec compassion. Angel s'est installée plus loin et ne semble pas vraiment concernée. Elle se cure les ongles et jette quelques regards sur les deux autres. Elle les rejoint et demande :

— Pourquoi sa mort te touche plus que celle de Grégoire ?

— Je ne sais pas, notre relation était différente. Severn n'est pas un simple subordonné. Il m'a aidé dans beaucoup de mes plans. Je ne dirais pas que je le traite comme un égal, mais c'est ce qui s'en rapproche le plus. Tu ne peux pas comprendre, tu vois les autres uniquement pour leur intérêt.

— En attendant, il était prêt à te trahir. Il espérait que tu meures ici pour qu'on puisse partir et reconstruire un essaim.

— Tu penses me blesser mais, au contraire, je l'admire pour ça.

Angel tape du pied dans le sable et s'éloigne en lui disant :

— Si tu l'estimes, achève-le ! Il souffre le martyre. Je ne laisserais même pas mon chien subir ça !

— Tais-toi ! Je ne suis pas prêt à l'abandonner.

Il pose une main sur le front de Severn. Celui-ci ouvre les yeux et MacGregor fait jouer ses pupilles en murmurant :

— Tu ne peux plus ressentir la douleur. Tu entends, Severn !

— Ça ne fonctionne pas ! Le venin du loup coupe tout !

— Je me devais d'essayer, mon ami. Est-ce que tu pourras me pardonner ?

Il n'obtient toujours aucune réponse, mais un cri sourd sort de la gorge de Severn alors qu'il s'arc-boute sous la douleur.

— Angel, viens m'aider ! On va lui retirer son tee-shirt.

Je ne sais pas si je vais vous montrer les images. Elles sont atroces et pourraient donner des cauchemars, même aux plus téméraires d'entre nous. Ah ! Je vous aperçois hurler à la mort que vous souhaitez voir. C'est si divertissant. Très bien !

Le tee-shirt colle à sa peau, et des auréoles de sang et de graisse suintent par endroits.

— Je suis désolé, mon vieux, j'aurais dû te l'enlever avant.

— Qu'est-ce qu'il m'arrive ?

— Ton corps se putréfie. Nous sommes des morts-vivants. Le venin dans la morsure des loups retire la magie qui maintient nos cellules fraîches. Autrement dit, tu te décomposes de la même manière que ton cadavre l'aurait fait. J'ai fait des milliers de recherches durant ma vie, mais je n'ai rien trouvé. Oh, Severn, tu as le droit de me haïr, c'est en partie à cause de moi que tu te retrouves comme ça !

Severn ne répond pas, il serre les dents alors qu'il tente de retirer lui-même ses vêtements.

— Laisse-nous faire !

MacGregor maintient sa tête alors qu'il soulève le tee-shirt. Angel, qui faisait la fière, n'en mène pas large. Elle retient des haut-le-cœur et pose sa main sur sa bouche. L'odeur de viande pourrie au soleil pendant des jours est atroce. MacGregor fait glisser délicatement le tee-shirt au-dessus de sa tête. Les trous laissant apparaître la chair putride à des endroits dégoulinent d'un liquide vert-jaunâtre.

— Respire par la bouche, dit MacGregor à Angel.

Mais c'est déjà trop tard, elle s'est éloignée et restitue le contenu sanguinolent de son estomac.

— C'est si moche que ça ? lance Severn. Au moins, je suis heureux de la rendre dans cet état. Je l'ai entendue me dézinguer et t'avouer que j'allais te trahir.

Les deux vampires rient, puis MacGregor lui répond :

— Je n'en désirais pas moins de ta part. Notre éternelle vie n'a été qu'une partie d'échecs. C'est normal que le fou espère prendre la place du roi.

— Je ne suis qu'un fou à tes yeux ?

— Je ne voulais pas dire la reine…

Ils se remettent à rire, et un panaché de gouttelettes sanguinolentes sort de la bouche de Severn. MacGregor l'essuie délicatement, tout en le fixant dans les yeux. Severn lui dit :

— Tu es pardonné, mon ami. Promets-moi de faire payer ce maudit loup…

— Je t'en fais le serment… Il est l'heure, je ne peux te voir devenir liquide. Severn, adieu.

Il ne laisse pas le temps au principal intéressé et prend un couteau similaire à celui de Carmilla. Il sourit et le plante dans le cœur de Severn. Son visage, qui n'était que douleur, marque un temps de soulagement. Puis le processus de putréfaction s'accélère pour ne laisser qu'un tas de cendres. MacGregor pousse un cri de rage et lance son arme dans un arbre. Il frôle la tête d'Angel qui ne bouge pas d'un centimètre. On dirait un chien attendant la correction de son maître un peu trop violent. Le couteau vibre dans l'arbre, il est d'une beauté incroyable. Sous la lune, la garde apparaît bleutée. Des ours sont gravés et semblent en plein combat. MacGregor se dirige vers elle. Il s'arrête à la hauteur d'Angel, qui baisse les yeux.

— Tu vas me le payer ! Tu es en partie responsable de sa mort. On réglera tout ça en rentrant à la maison.

La vampire couine sous l'effet de la menace, elle ne redresse pas la tête. Je ne voudrais pas être à sa place, quand on connaît les punitions qu'il inflige à ceux qu'il ne porte pas dans son cœur. Vous ne savez pas ? On raconte qu'il les donne en partie à des êtres si abjects qu'on n'ose pas imaginer ce qu'ils leur font. À votre avis, Angel fait-elle partie des tortionnaires ? En tout cas, elle pourrait bien finir par être une de leurs victimes. Elle a encore une chance de se rattraper, après tout. Si elle suit les ordres et que MacGregor repart avec ses deux prétendantes plus son descendant, elle pourrait avoir une porte de sortie. Il y en a bien une autre, mais je ne pense pas qu'elle ose. D'une part, il la tuerait, c'est sûr, et d'autre part, je doute que nos candidats l'accueillent les bras ouverts. Eh oui ! Elle pourrait bien aller combattre dans l'autre camp. Qu'est-ce qui l'en empêcherait ? La peur ? Mais de quoi ? D'être libre et de ne plus craindre les sautes d'humeur d'un vampire versatile ? Est-ce qu'elle aura le courage de passer à l'acte ? La réponse n'est pas pour maintenant, vous allez devoir patienter jusqu'à l'épisode prochain. D'autant qu'une sombre affaire de bijoux va semer la discorde chez nos candidats. Vous connaissez la rengaine… La suite au prochain épisode…

Épisode 23

Judith Mikelson

« C'est avec un immense plaisir que je vous retrouve pour un nouvel épisode de *Treize : qui survivra à MacGregor ?* On sait que ce ne sera pas Severn. Il a passé l'arme à gauche, comme on dit. J'en ai des haut-le-cœur rien qu'en pensant à son corps en décomposition alors qu'il était conscient. Pour ceux qui ont déjà pu voir ou subir des escarres, je vous laisse imaginer.

La liste des survivants diminue plus vite que la banquise sur notre planète. Nous ne pouvons pas vraiment dire que c'est à cause du réchauffement climatique. À moins que son nom soit MacGregor ! Après tout, il jette ses détritus sans même se soucier de notre planète.

Nos candidats sont encore sous l'ivresse de leur petite victoire. Pourtant, des nuages noirs pointent le bout de leur nez. Ethan semble la marionnette de Thya, fraîchement abattue. Il veut récupérer le bijou de Carmilla coûte que coûte. Je doute que notre reine vampire se laisse faire de la sorte. En tout cas, la matinée promet d'être agitée. À moins que… Je n'en dis pas plus… Place à l'épisode. »

Épisode 23

Derek se lève et se dirige vers le feu. Il a meilleure mine que la veille. Il a déployé une énergie folle. Il se réchauffe les mains en jetant une boule de feu en l'air et en la rattrapant.

— Tu ne devrais pas épuiser tes pouvoirs, lui lance Ayden.

— Je peux manipuler le feu sans dépenser quoi que ce soit. Depuis que je suis petit, je joue avec.

— Un vrai pyromane.

— Je dirais pas vraiment ça. Je n'ai pas eu le choix.

Ils continuent leur conversation insipide, tandis que les autres candidats se lèvent et les rejoignent. Derek observe Ethan qui ne parle plus tout seul. Il ne se balance pas en se bouchant les oreilles, on pourrait presque croire que tout est normal. Enfin, presque, car il n'a pas l'air d'avoir retrouvé sa place auprès de ses amis. Il en est loin, autant physiquement que mentalement. Gabriel ne le regarde même pas, et lorsqu'il commence à donner des ordres au groupe, Ethan est mis complètement de côté. Le garçon observe son alpha avec une pointe d'anxiété dans le regard. Soudain, Gabriel se tourne vers lui, le pointe du doigt et lui lance :

— Toi, tu viens avec moi. Nous devons parler sérieusement.

Il acquiesce sans broncher, mais ce n'est pas le cas de June qui se place entre lui et l'alpha pour lui dire :

— Il n'ira nulle part sans moi, je l'ai soigné et il a besoin d'être surveillé.

— Qui ça ? Lui ou moi ? rétorque Gabriel.

La jeune fée ne répond pas, mais ses ailes s'empourprent. Elle pose ses mains sur ses hanches. Lucas intervient et l'attrape par le bras en offrant son plus beau sourire à son alpha. Il l'éloigne et lui demande :

— À quoi tu joues ? Tu ne peux pas te mettre entre l'alpha et un membre de la meute. Cela revient à le défier pour prendre sa place.

— Je ne veux pas qu'il touche à Ethan. Il pourrait le tuer.

— Mais non ! Ils doivent discuter.

La conversation s'interrompt soudainement, Ayden hurle à la porte :

— Ils arrivent et ils ont l'air très énervés.

Carmilla se précipite et les observe. L'angoisse se lit dans son regard. Lorsqu'elle voit les autres candidats la rejoindre, prêts à en découdre, elle leur demande :

— J'ai un plan pour réduire nos ennemis à un seul. Pour cela, vous devez me faire confiance. C'est aussi en partie pour me faire pardonner d'avoir eu envie de vous extraire jusqu'à la moindre goutte de sang. Si mon plan fonctionne, je suis sûre de gagner.

Tu as toute ma confiance, lance Lévana.

Elle lui tend le bras et reprend :

— Nourris-toi de ma force et de mon don ! Je te donne l'accord pour que tu t'en serves pour les détruire.

Ayden fait un pas pour s'interposer. Il suffit d'un simple regard de la sorcière pour qu'il se ravise. Courageux mais pas téméraire, le garçon, n'est-ce pas le secret d'un mariage réussi ? Carmilla acquiesce. Elle attrape le poignet de Lévana et mord dedans, comme s'il s'agissait d'un fruit juteux. Quelques secondes plus tard, elle range ses canines et tapote l'épaule de la sorcière qui s'applique un onguent cicatrisant.

— Quoi qu'il se passe dehors, laissez-moi faire !

— Non ! lance Gabriel. Tu n'y vas pas seule et à découvert.

Pendant une fraction de seconde, je me suis dit qu'il avait tué son loup et son côté violent. C'était une terrible erreur. Je me demande bien comment va faire Carmilla pour calmer le loup protecteur qui se tient entre elle et la porte de sortie. Ce n'est pas mieux du côté d'Angel. MacGregor est d'une humeur massacrante et la pauvre en fait les frais.

— Je t'avertis, Angel, si tu ne tues pas le loup qui a mordu Severn, ne reviens même pas me voir. Quoi qu'il en soit, c'est soit lui, soit toi ! De toute manière, tu n'es qu'une bonne à rien, une mauvaise en tout. Je ne comprends pas ce que tu fais encore sur cette planète. J'aurais tellement préféré que tu sois morte plutôt que Severn. Tu peux me dire ce qu'ils font ? Nous attendons sur la plage depuis deux minutes. Je ne vais pas aller cramer leur camp pour qu'ils daignent engager le combat. Ils sont tous aussi mous que toi !

Angel ne dit rien, elle garde la tête basse. Je n'aimerais vraiment pas être à sa place, car on sent très bien que, au premier signe d'agacement, elle subira le courroux de son soi-disant ami. Du côté du camp, les choses ne bougent pas rapidement, Gabriel est toujours devant la porte. Carmilla s'avance vers lui et lui caresse la joue tendrement.

— Je te fais la promesse que, à la moindre seconde où je suis en danger, je te demande d'intervenir. Tu peux lire dans mes yeux, je ne te mens pas. Je sais ce que je fais. Est-ce que tu peux me faire confiance ? Est-ce que l'instinct de ton loup peut le faire aussi ?

Le temps semble se figer entre les deux. Tous retiennent leur souffle. Gabriel finit par céder et se décale pour la laisser sortir. Il lui murmure :

— Ne me déçois pas.

Mais qu'est-ce que cela signifie ? Est-ce qu'il redoute qu'elle perde le combat et, dans cette situation, le rôle de première dame de la meute, ou parle-t-il de sa promesse ? Le suspense reste entier et je peux vous dire avec certitude que nous n'en saurons pas plus.

Carmilla prend quelques secondes pour se reprendre. Elle fait tourner ses épaules et son cou comme un boxeur près du ring. Son regard et son attitude changent, nous retrouvons la Carmilla des premiers jours. La reine est de retour. Son visage devient narquois et hautain. Elle sort telle une actrice de cinéma sur un tapis rouge. Elle est suivie de sa cour, bien évidemment. Tous les candidats marchent derrière elle. Elle fait un geste de la main et ils se stoppent comme un seul homme. Je trouve tout ce cirque si ridicule. Je doute qu'elle impressionne qui que ce soit. À moins que… Angel est sur le point de s'étouffer avec sa langue tant elle se retient de prononcer le moindre mot. Elle n'a qu'une envie, en découdre.

— Alors, la nuit n'a pas été trop dure ? Je vous trouve vraiment matinaux. Je sens d'ici l'odeur de putréfaction. J'espère qu'il a souffert autant qu'il m'a déçue.

— Tu as passé ces dernières décennies à ses côtés, tout n'est pas que mensonge, lui dit MacGregor.

— Arrête, Émile, tes histoires ne prennent plus avec moi.

En entendant ce prénom, Angel sursaute. Par contre, les autres candidats se regardent avec une lueur amusée. Je vous garantis que ce n'est pas la peur, et MacGregor est sur le point d'imploser. Elle lui a balancé son prénom, qui inspire une profonde gentillesse, comme si elle savait que cela le déstabiliserait.

— Je t'ai déjà ordonné de ne plus m'appeler comme ça. Je suis MacGregor !

— En effet, Émile MacGregor ! Severn est mort et tu souhaites que je bute l'autre folle. Ce serait un jeu d'enfant. Tu es tellement prévisible.

— À quoi joues-tu, Carmilla ? demande MacGregor.

— Tu as tué mes amis, et je me suis rendu compte que je n'étais pas si affligée que ça. J'ai envie de jouer autant que toi. Savoir que Severn a souffert le martyre m'a mis en joie et j'ai hâte de poursuivre. Si tu dois me punir, tu devrais trouver mieux qu'un orphelinat. Je crois que j'ai perdu mon cœur et ma sensibilité sur l'île. Tu veux jouer, Émile ? Alors, jouons !

— J'aime quand tu te comportes de la sorte, ça m'émoustille, avoue-t-il.

Gabriel ne peut réprimer un grognement, ce qui fait lever les sourcils de MacGregor. Ce dernier affiche un sourire et lance :

— Ton loup semble un peu possessif pour un clébard, tu ne trouves pas ?

— Il fera ce que je lui dis.

Carmilla joue avec le feu. Gabriel a le poing serré. Étrangement, il va recevoir une aide inattendue. June s'approche de lui et lui murmure qu'elle le respecte en tant que chef et alpha. Il se tourne pour planter ses yeux dans les siens, tandis que la jeune femme baisse la tête en signe de soumission. L'alpha a reporté toute son attention sur la fée, et MacGregor l'a bien compris. Il tente de provoquer Gabriel, en vain. Alors, Carmilla sourit de toutes ses dents et lui lance :

— Tu es sur le point de perdre la partie. Tu sembles oublier que je connais ton point faible. La vanité et l'égocentrisme. Angel est la première vampire de ton essaim. Celle qui est restée fidèle depuis des centaines d'années, la plus vieille transformée par tes soins depuis le jour où tu as brûlé ton essaim. Elle doit être si puissante. Et pourtant…

— Et pourtant quoi ? Tu es bien une petite…

MacGregor fait taire Angel d'un simple geste de la main. Elle pousse un cri de rage et de frustration.

— Si obéissante comme la bonne chienne qu'elle est, lance Carmilla, suscitant les rires des autres candidats. Tu parles des loups qui m'accompagnent, mais au moins ils ont un côté sauvage. Je n'en dirais pas autant de ton petit animal de compagnie qui te suit depuis si…

Elle n'a pas le temps de finir sa phrase. Angel a sauté par-dessus MacGregor. Nous ralentissons les images afin que vous puissiez voir le spectacle dans son intégralité. Carmilla s'élance dans sa direction. Elle esquive le coup de poing en se jetant à l'arrière ; et avec grâce, elle se saisit de son cou pour la planter dans le sable. MacGregor ne bouge pas et se contente de croiser les bras. Clairement, il est agacé. Carmilla maintient la tête de la jeune femme dans le sable.

— Tu ne la tiens plus en laisse. Je vois qu'elle est très désobéissante. Je me demande si ce n'est pas toi qui t'es ramolli depuis toutes ces années.

MacGregor serre les dents, toujours avec une classe digne des grands films d'action. Carmilla la relâche, puis réalise un salto arrière avant de se replacer vers les candidats. Angel tente de se jeter sur elle, mais MacGregor siffle. Elle se fige comme un pantin, puis se tourne vers lui.

— Tu m'as sifflée ! Mais tu es sérieux ? Elle me traite de chienne et tu entres dans son jeu. Elle a raison, je suis avec toi depuis tellement d'années. Enfin, est-ce que nous pouvons parler d'amitié alors que tu me siffles ? Severn avait raison, je devrais un peu plus penser à moi plutôt qu'à te contenter.

— Arrête, Angel, ne rentre pas dans son jeu. Elle cherche…

— Je vais la buter et tu ne pourras rien faire. C'est elle ou moi…

— Alors très bien ! Tu as toujours voulu un combat singulier contre Carmilla, je t'y autorise. Par contre, je ne viendrai pas à ton secours si tu es en difficulté.

— Je n'ai pas besoin de toi. Je vais la crever, cette manipulatrice qui te pourrit l'existence depuis trop longtemps.

— En attendant, c'est toi qui tombes dans son piège. Je suppose que tu acceptes ce combat, n'est-ce pas, Carmilla ?

— Tout à fait, et pour lui laisser le temps de se préparer…

— Non ! C'est tout de suite, lance Angel. Je vais t'exploser. Je suis plus vieille et plus puissante que toi. Tu as l'air d'oublier ça.

— Mais tu n'as jamais eu la responsabilité d'un essaim, lui répond Carmilla.

— Je veux rendre ce combat beaucoup plus attractif. Si Angel gagne, je souhaite la tête du loup qui a mordu Severn. Si je perds, je vais me retrouver tout seul face à vous.

— Tout ce que tu désires, lance Carmilla avec une assurance démesurée.

Le visage de MacGregor s'effondre. Pour la première fois depuis le début de l'aventure, la panique anime son regard. Elle détient quelque chose et il ne sait pas quoi. Elle est sûre de gagner et il vient d'envoyer sa plus fidèle amie… serviteur plutôt, à une mort certaine. Enfin, c'est ce que laisse penser Carmilla. Est-ce qu'elle ne tenterait pas un coup de bluff digne des plus grands joueurs de poker ? Je ne sais pas, mais le pari est risqué. Préparez-vous, car nous allons assister à un combat que les plus illustres combattants de MMA admirent. Mais pour nous, ce sera jusqu'à la mort ! Vous connaissez la rengaine… La suite au prochain numéro.

Épisode 24

Judith Mikelson

« Bonjour à tous et à toutes. C'est avec un plaisir à peine dissimulé que je vous retrouve pour un nouvel épisode de *Treize : qui survivra à MacGregor ?* Je peux vous garantir que la peur vient littéralement de changer de camp. Comment ? Même moi, je n'en sais rien ! Carmilla a réussi un tour de maître. Elle a affiché une assurance démesurée, au point que MacGregor doute. Eh oui ! Mes chers téléspectateurs, le plus ancien vampire du monde a peur. Je vous vois vous réjouir et fêter la scène allègrement. Attention, il est loin d'avoir été vaincu. Je demande à tous les petits malins qui s'amusent à taguer des insultes : les représailles finiront bien par vous atteindre. Et puis, il a de nombreux partisans dans le monde ; vous n'êtes pas à l'abri de vengeance. Soyez vigilants et ne vous affichez pas ainsi.

Certes, cette image de MacGregor ouvrant sa bouche devant la certitude de Carmilla est assez jouissive. Par contre, il faut que la jeune femme tienne parole et qu'elle gagne ce combat. Sinon, l'effet sera de courte durée, et je ne donne pas cher des autres candidats. Tout pourrait se terminer à l'issue de cet épisode. Je vous vois venir, petits malins qui regardez s'il y en a d'autres qui suivent. Mais je pourrais tellement vous raconter de choses derrière, notamment un hommage à tous nos candidats morts ou encore une ode à notre cher MacGregor. Eh oui, mon ton a changé… À vous d'en faire vos déductions… Place à nos candidats… »

Épisode 24

Carmilla se tourne vers les autres candidats. Gabriel fixe la nuque de June, témoignant de sa soumission à l'alpha de la meute. Carmilla fronce les sourcils et leur dit :

— Je suis sérieuse, n'intervenez pas ! Si MacGregor entre dans la danse, alors vous avez quartier libre. Compris ?

Ils acquiescent, puis elle montre MacGregor du doigt et lui lance :

— Tu as entendu, si tu participes au combat…

— Tu me connais suffisamment pour savoir que je ne bougerai pas. Aujourd'hui, ce n'est pas mon jour ! Mais il se rapproche inexorablement.

Il se tourne vers Angel qui a gardé ses distances. Il lui attrape la tête et la maintient pour l'obliger à le regarder et écouter.

— Il y a quelque chose qui ne va pas ! Tu dois te montrer extrêmement prudente.

— Elle ne m'aura pas ! Je suis plus…

— Non ! Tu n'es pas plus vieille ou plus puissante ou je ne sais quoi ! Elle a une arme secrète et j'en suis sûr. Fais attention, elle détient une dague comme la mienne.

— Je ne vais pas me faire avoir par son couteau, ni par autre chose. Je rêve de la tuer depuis que tu l'as transformée. Je dirais même depuis que tu me l'as présentée alors qu'elle était encore cette pauvre petite chose humaine. Puis-je enfin la buter ?

— Oui, mais fais très vite.

— Dans les combats, je ne suis pas connue pour pinailler.

— Bon, on s'y met ou quoi ? Parce que, à force de vous entendre radoter vos conneries, je suis à deux doigts de retourner dans le camp, lance Carmilla.

MacGregor serre les dents et balance des claques affectueuses à sa championne. Elle avance vers Carmilla et monte sa garde en sautillant dans le sable. Il n'est pas évident d'avoir des appuis sur la plage où le sol est meuble, mais cela ne semble pas contrarier les deux combattantes. Carmilla arrache les manches de sa robe et les enroule autour de ses poings. Je trouve cela tellement ridicule. Mis à part faire la maligne, je ne vois pas ce que cela lui apporte. D'autant que se manger un poing sans protection est beaucoup plus efficace. Les deux femmes se tournent autour, mais personne ne veut se lancer. Lévana commence à coacher Carmilla en tapant dans ses mains et en hurlant des encouragements, ce qui déclenche une véritable cacophonie sur le camp. Tous se mettent à crier comme des spectateurs en folie. Pour Angel, c'est beaucoup moins volubile. On a l'impression de voir un coach de football avec une équipe désespérée.

Carmilla jette son premier poing qui atteint directement Angel à la mâchoire. Elle encaisse le coup et riposte, mais les sauts acrobatiques de Carmilla sont très jolis et très efficaces pour l'esquiver. En sautant ainsi, elle assène un coup de pied dans le menton qui fait voler Angel plusieurs mètres au-dessus du sol avant de retomber mollement sur le sable. Elle se relève immédiatement.

— Tu penses que c'est avec ton yoga et ta gym que tu vas m'avoir ? Tes coups, je les sens à peine.

— J'attends ton premier coup bas avant de lancer les miens. Je ne veux pas passer pour une faible contre toi.

Avec cette phrase, Carmilla marque un point car, en une fraction de seconde, Angel dévoile son prochain coup et sort le couteau de MacGregor en l'agitant devant le visage de son adversaire. MacGregor est dépité et secoue la tête avec un air désapprobateur.

— Qu'est-ce que tu ne comprends pas par « surpris » ?

— Je ne t'ai pas demandé d'aide.

— Et pourtant, tu n'as pas hésité à prendre mon couteau.

Angel tente des coups pour poignarder son adversaire en plein cœur. Hélas, elle commet une erreur qui va lui coûter très cher. Carmilla abaisse son poing sur son bras, l'obligeant à ouvrir la main. Le couteau tombe au sol et, dans une parade incroyable, Carmilla tourne sur elle-même et le récupère. Elle l'observe une microseconde avant de regarder son adversaire et lui dit :

— Maintenant que je détiens les deux seules armes pour tuer un vampire, je ne donne pas cher de ta peau. Merci !

Elle se saisit du sien dissimulé dans sa poitrine et se jette sur elle. Tout va très vite, Angel recule, mais une liane sort du sable et la fait trébucher. MacGregor s'apprête à bouger, mais Carmilla lance une liane et le gifle. Angel essaie de se relever, mais avec un lancer d'une précision chirurgicale, les deux lames se plantent dans son cœur.

— J'ai bu le sang de Lévana donc il n'y a aucune triche. Ce n'est pas la sorcière qui est intervenue.

Angel est encore là ; elle souffre, mais ne disparaît pas comme les autres. Carmilla s'avance vers elle et lui dit :

— Les dagues sont de chaque côté des ventricules. Je ne voulais pas t'exterminer aussi facilement. Je te laisse le choix de rejoindre mon essaim ou de mourir comme l'esclave d'Émile. Je t'offre une chance de vivre libre…

Elle n'a pas le temps de finir son plaidoyer. Angel a retiré une dague et la lance en direction de Carmilla qui la contre avec ses jupons enroulés sur sa main. Je fais mon mea culpa, le côté théâtral de tout à l'heure est tout à fait justifié devant ce geste technique. Je crois qu'Angel a rendu sa réponse. Carmilla sort une nouvelle liane du sable qui crochète le couteau et s'enfonce dans le cœur. Aussitôt, Angel se transforme en poussière et rejoint le sable de la plage. Carmilla pointe sa lame vers MacGregor et lui murmure :

— Tu es le prochain.

Il se met à rire. La joie des autres candidats s'efface peu à peu devant le vampire fou qui continue à se gausser de la situation.

— Mes pauvres petits, vous n'avez aucune chance. N'est-ce pas, Ethan ?

Le jeune homme ne dit rien, mais ce n'est pas le cas de Lévana qui pète une durite en direct. Elle s'avance et se met à rire à gorge déployée. Puis elle lui lance avec arrogance :

— Ton règne de terreur est terminé. Je rêve de te voir mort depuis des années. Tu n'effraies plus personne, Émile. Tu vas crever seul comme un chien. C'est tout ce que tu mérites après avoir fait souffrir tant de personnes. Tu pensais m'avoir effacé la mémoire quand tu m'as ramenée en forêt, pourtant je me souviens de tout. Je te garantis que tu vas payer pour toutes les pauvres créatures que tu as maltraitées durant des décennies. Il n'y a pas que les métamorphes qui ne peuvent pas te sentir. J'ai hâte de voir la peur sur ton visage…

Ayden s'avance et se place à ses côtés. Il pose une main sur son bras pour l'arrêter dans sa longue complainte. Je ne sais pas ce qui s'est passé, mais elle trouve un courage qui ne lui ressemble pas depuis quelque temps. Est-ce que l'amour donne des ailes ? Je peux vous dire que non, sinon nous ne serions pas le seul peuple à voler. Ayden regarde MacGregor et lui dit :

— Je vais te tuer au nom de tous les métamorphes, sorcières des bois, garous… Pour tous les peuples que tu as fait souffrir, que tu as manipulés ou simplement côtoyés. Tu es tellement mauvais que tu pervertis tout ce qui t'approche. Tu te crois malin, mais reconnais ta défaite. Tu ne pensais pas perdre tes fidèles serviteurs. Pourtant, il a été si facile pour nous de les faire disparaître.

— Et vous ? Vous étiez combien au départ ? Tu n'es pas bon en maths, mon jeune garçon. Qui détient le plus de victoires dans cette guerre ? Je suis loin d'avoir terminé. Carmilla, je t'embrasse et j'ai hâte de te retrouver dans ma couche.

Gabriel grogne et avance d'un pas, mais Carmilla pose une main pour l'arrêter.

— Laisse-le partir, il sait que je ne lui appartiens plus. Je fais partie de ta meute maintenant.

Le rire que pousse MacGregor est légèrement surjoué. Il les salue et s'éloigne en sifflant, comme si la mort de ses amis ne l'affectait en aucune manière, et pourtant… Mais nous verrons tout cela plus tard si vous le voulez bien, car la question d'Ethan reste un suspense. Et puis MacGregor l'a interrogé comme s'il faisait partie de son clan, et personne ne s'en est rendu compte. Ethan serait-il l'ultime traître de l'aventure ? Et s'il jouait double jeu ? Depuis le départ, il est très proche des vampires et de Carmilla. Il adore la questionner sur l'histoire, mais surtout sur la sienne. Et si le loup était corrompu par le plus vieux vampire d'Europe ? Il semble si innocent. Non, je ne peux pas le croire une seule seconde. C'est un homme avec un bon cœur, et MacGregor n'aurait pas pris le risque de le tuer, je vous rappelle qu'il l'a envoyé un pied dans la tombe, et sans June, il n'en serait jamais ressorti. Ce ne sont que des balivernes tout droit sorties de mon imagination.

En attendant, il fixe Carmilla comme s'il regardait une brebis. Et on sait tous ce que les loups font à ces pauvres bêtes. Il jette un léger coup d'œil à Derek qui lui fait un signe de tête pour lui signifier que ce n'est pas le moment. En effet, tous les autres sont euphoriques devant leur nouvelle victoire. Ils congratulent Carmilla comme si elle venait de gagner la coupe du monde d'aquaponey. Celle-ci semble complètement hermétique aux compliments. Elle finit par montrer des signes d'agacement avant d'éclater de colère.

— Arrêtez ! La guerre est loin d'être terminée. Angel n'a jamais été puissante. Elle a toujours été protégée par MacGregor. Et puis elle m'a laissé en grande partie la victoire. J'ai vu son regard, elle n'avait plus la même haine que je lui ai connue toutes ces années.

— Peut-être, mais tu l'as tuée et maintenant il est seul ! lance Lucas.

— Tu es bien naïf si tu penses pouvoir le vaincre aussi facilement. Nous allons devoir mener un combat beaucoup plus intense que lorsque Severn a été mordu. Sauf que, cette fois-ci, nous n'aurons pas l'effet de surprise.

— Mais il est isolé !

— Je l'ai vu tuer une cinquantaine de garous seul. Il a juste à se servir de sa vitesse et, en moins de temps qu'il ne faut pour le dire, nous serons tous morts.

— Tous sauf toi, lance Derek.

— Je te garantis que je me donnerai la mort moi-même plutôt que de repartir avec lui. Ce n'est pas vraiment le moment de témoigner des signes d'hostilité, sorcier. Nous devons nous montrer plus unis que jamais.

Derek regarde Ethan. Gabriel n'est pas dupe, il a vu et s'avance vers son garou et dit pour tout le monde :

— Carmilla a raison, nous savons tous que le combat est loin d'être gagné. Nous ferions mieux de nous reposer et de manger.

Tous se rendent près du feu, et lorsqu'Ethan se met en marche, la main de son alpha se pose sur son épaule. Le garçon le regarde avec une pointe d'appréhension dans les yeux.

— Toi, tu viens avec moi ! Nous devons parler sérieusement. Je dois comprendre ce qui se passe et à quoi tu joues.

Ethan ne dit rien, mais fait rouler son épaule pour retirer la main de Gabriel. Les yeux de celui-ci se teintent d'une couleur ambrée et sa voix devient rauque quand il lui lance :

— Est-ce que tu m'en veux ? Oui, j'ai envisagé de t'achever, mais tu connais les risques si tu perds la tête et que tu te mets à tous nous tuer. Je refuse d'avoir un ennemi qui surveille mes arrières.

— Tu n'es pas vraiment impartial. Si je te dis ce que je ressens, tu vas m'abattre. Alors que je suis sûr de moi, j'ai raison et tu ne disposes pas de toutes les informations. Dans sa globalité. L'influence qu'elle a sur toi va finir par tous nous tuer.

Gabriel serre les dents et arrive à retenir sa colère, il souffle un grand coup et lui répond :

— Je veux connaître ton avis, tu as toujours eu un sixième sens sur les gens. Fais-moi confiance, Ethan, je t'en prie.

— D'accord.

Les deux garçons s'éloignent en direction de la plage, sous le regard inquiet à la fois de Derek et de Carmilla. Il se pourrait que des révélations desservent leur amour, et entre les dires d'un pote et celui d'une femme… Clairement, nous allons savoir si Gabriel réfléchit avec son cerveau ou avec sa… Je ne vais pas le dire, je ne suis pas aussi vulgaire. En tout cas, le prochain épisode pourrait bien lancer des querelles sur le camp. Et si… non… je ne peux pas vous le dire, j'aurais trop peur de vous donner trop d'indices. Il va falloir être patient, mais la fin est vraiment proche et MacGregor va nous montrer le guerrier qu'il est. Quoi ? Vous pensez que je vous dis ça, car je sais qu'il va gagner ? Mon regard a changé sur lui… Vous vous posez des questions… et si, pour une fois, le grand méchant remportait la victoire… Allez, la suite au prochain épisode…

Épisode 25

Judith Mikelson

« Quelle joie de vous retrouver pour un nouvel épisode de *Treize : qui survivra à MacGregor ?* J'ai reçu tellement de messages que mon téléphone a failli exploser. Beaucoup de gens qui se sont permis de critiquer MacGregor paniquent, et je dois dire que je trouve tout ça jouissif. Vous abreuvez ma soif de chaos dans cette terre régie par des lois arbitraires.

Je ne vous dirai rien jusqu'à la dernière seconde. De toute manière, je n'en sais pas plus que vous. Mais je préfère vous rappeler la grandeur de MacGregor. Il a manipulé le monde entier pour exterminer les métamorphes, ses ennemis. Nous pouvons noter sa détermination et sa fidélité envers Carmilla, qu'il considère comme sa femme. Ne vous battriez-vous pas de la sorte pour récupérer l'être aimé ? Je me permets de vous poser la question, car si ce n'est pas l'une des plus belles preuves d'amour…

Eh oui, les méchants peuvent gagner à la fin, nous ne sommes pas dans un conte de fées… Enfin, même si le programme est créé par l'une d'entre elles. Est-ce que je ne jouerais pas avec vos nerfs en feignant de vous spoiler ? Vous me connaissez si bien… Si vous tenez tant à savoir la suite… alors rejoignons nos candidats… Place à l'épisode… »

Épisode 25

Avant de retrouver nos candidats, qui sont sur le point de rentrer dans un conflit interne, je me tourne vers MacGregor. Il a rejoint son camp et s'est installé sur son tronc. Il regarde le ciel avec un regard profond, presque hypnotique. Il soupire et murmure pour lui-même :

— Ces vacances ne sont pas si bien que ça, j'ai perdu ma nourriture et mes amis les plus proches. J'arrive même à regretter Angel, c'est pour dire. Je ne comprends pas comment on a pu en arriver là. Ils sont parqués comme des animaux…

Il se lève et se met à faire les cent pas. Il reprend son raisonnement à voix haute :

— Il manque quelque chose, j'ai l'impression que je n'ai pas toutes les informations. Je suis imbattable en stratégie, et là, je me fais avoir comme un enfant. De toute manière, je ne vais pas les laisser comme ça. Je vais tuer les loups, c'est une certitude.

Et si son problème était la fixation qu'il fait sur les loups ? Ce n'est pas d'eux qu'il devrait se méfier, si vous voulez mon avis. Mais je vous promets de faire un débriefing avec lui… Enfin, s'il s'en sort. En tout cas, pendant qu'il se pose les bonnes questions… ou pas… je vous propose de rejoindre Ethan. Il est temps pour lui d'avouer qu'il entend des voix. Enfin, une voix, celle de Thya… Est-ce que l'alpha va tuer son loup sous prétexte de folie, ou va-t-il le croire ? Bienvenue dans le monde holistique…

Ils s'installent au bord de la plage. Gabriel vérifie que les grains de sable n'ont pas d'oreilles. Il a complètement raison, mais tout le monde est affairé au camp et personne ne se préoccupe de leur conversation. Personne… cela reste à voir… Mon petit doigt me dit qu'il pourrait bien y avoir un auditoire, mais je ne vais pas tout vous révéler, cela manquerait terriblement de panache, vous ne trouvez pas ? Gabriel prend la parole.

— J'ai besoin de savoir ce qui se passe dans ta tête. Tu m'as fait drôlement peur, j'ai cru…

Il ne finit pas sa phrase, pourtant il fixe Ethan qui a le regard fuyant. Le jeune homme lui répond sans montrer aucun signe de nervosité.

— Si je te dis que j'entends des esprits, est-ce que tu me considéreras comme fou ?

— Je ne sais pas. Il me manque beaucoup d'informations. Tout ce que je peux te dire avec sincérité, c'est que je ne veux pas te tuer. Et toi, est-ce que tu me fais assez confiance pour te confier à moi ?

— C'est difficile, je risque ma vie si je te révèle certaines choses. Mais je te garantis que je ne suis pas fou. J'ai cru le devenir, mais maintenant je sais ce qui se passe.

— Si nous arrêtions de parler en message codé. Ethan, tu fais partie de mes amis d'enfance, je ne veux pas que ma position d'alpha change les choses entre nous. Je t'écoute comme un ami et non comme un alpha.

Le jeune homme se détend quelque peu et risque un regard vers Gabriel, il soupire et se jette à l'eau.

— J'entends des esprits qui me parlent. Voilà pourquoi je me bouche les oreilles, mais c'est comme s'ils étaient dans ma tête. Thya m'a dit que j'étais mort, mais une puissante magie m'a ramené à la vie.

— La poudre de fée.

— Oui, c'est ça ! Sauf que Thya n'est pas à l'endroit où elle doit être. C'est comme si l'emprise du médaillon l'avait maudite. Tu vois, la pierre précieuse de Carmilla. Elle me demande de la détruire. Il faut le faire, sinon elle va rester avec les âmes damnées, elle ne mérite pas ça.

— J'aimerais te comprendre. Comment peux-tu entendre les esprits ?

— Je n'en sais rien, mais nous nous sommes croisés avec Thya, comme si lorsque je revenais dans mon corps elle partait. J'ai l'impression d'avoir des connaissances qui ne m'appartiennent pas. Est-ce que tu vas devoir me tuer ?

— Non… enfin… je ne vais pas te mentir, je ne maîtrise strictement rien. Tu as l'air inoffensif, mais Isabella le paraissait tout autant.

Gabriel a les épaules qui tombent sous le poids de sa responsabilité d'alpha. Il a le visage si juvénile, et pourtant il doit prendre des décisions terriblement difficiles. Il est temps de vous révéler qui de nos candidats s'est glissé dans une poche pour écouter la conversation. Gabriel semble pris de soubresauts, comme si quelqu'un le chatouillait. June sort de son tee-shirt et reprend une taille humaine. Gabriel la regarde avec un air désapprobateur mais, pour une fois, il n'est pas en colère.

— Est-ce qu'un jour tu t'occuperas de tes oignons ? Les fées, vous êtes pires que des ex jalouses. Vous vous collez aux baskets encore plus fort qu'un mauvais chewing-gum.

— Pardon, en fait non, je ne regrette pas. Je me suis fait une promesse et je compte bien la tenir. Ethan ne mourra pas. Je peux expliquer ce qui se passe. J'ai étudié toutes les espèces avant l'émission. Lorsque j'ai pu contacter Thya, je me suis documentée sur les chamanes. Je pense que Thya t'a transféré le don, tout simplement. Tu ne deviens pas fou, mais tu as la capacité de parler avec les esprits. Si tu écoutes leurs conseils, je suis sûre que tu pourras avoir des facultés de guérison.

— Il n'est pas en train de sombrer dans la folie alors ? demande Gabriel.

— Non, il se transforme en hybride mi-garou, mi-chaman. Je doute qu'il soit bienvenu de le tuer pour ça. Je vous rappelle qu'on est dans cette situation à cause d'un homme qui désire abattre sa lignée, car elle est aussi hybride. Les métamorphes ont un côté vampire et chaman. Enfin, je pense que c'est plus compliqué que ça.

— Il ne devient pas fou, c'est tout ce que j'ai besoin de savoir. Merci, June. Je vais tenter de récupérer la pierre de Carmilla. Elle y tient beaucoup, je ne sais pas si j'arriverai à la raisonner.

— Non ! lance Ethan, laisse-moi faire. Elle refusera de te la donner, et nous devons rester unis.

Gabriel grogne plus par principe que par conviction. Ethan se tasse légèrement.

— OK ! Je te laisse gérer ton histoire, mais ne nous mets pas dans la sauce.

Il se lève pour marquer la fin de la discussion. Ils retournent au camp. Lucas se précipite vers June et la serre contre lui.

— Putain, tu m'as fait peur en disparaissant comme ça !

— Je n'étais pas si loin.

Elle l'embrasse sous le regard amusé des autres. Ils ne se cachent même plus. June file un très mauvais coton, si vous voulez mon avis. Elle se sert de la poudre de fée comme si elle avait oublié les sacrifices qu'elle demande, elle batifole avec une autre espèce, et pour conclure, elle montre tout ce qui est réalisable avec notre magie. Elle met tout notre peuple en danger. Et tout ça pour quoi ? Une amourette de vacances, une émission de téléréalité, la célébrité et la gloire. Si seulement elle était la seule. Je ne vous parle même pas des garous. Gabriel passe sa main sur la hanche de Carmilla, alors que celle-ci pose la tête sur son épaule. Je peux vous dire que l'alpha des alphas est au bout du rouleau. D'ailleurs, on m'a dit qu'il n'aurait pas perdu que son petit-fils dernièrement ; un drame aurait touché Meg[1], la plus jeune de la fratrie. Non, je ne vous permets pas, je ne rapporte pas de ragots, enfin si. Oh, mais je sais combien vous aimez tout ça !

Revenons à nos moutons, je devrais dire plutôt à notre loup. Nous l'avons laissé quelque peu abattu par la perte de ses amis. Et s'il n'était pas la solution, s'il tuait tout le monde, nous serions libérés des couples d'espèces différentes ? Est-ce que je suis en train de

---

1 Personnage issu de la série *Meg Louve Alpha* de Julia MacFolagan.

souhaiter la mort de tous les candidats ? Non ! Est-ce que leur amour m'exaspère ? Oui ! Est-ce que j'encourage MacGregor ? Peut-être. Est-ce que j'ai peur de la fin de l'émission ?

Il est assis, regardant toujours l'horizon. Il se lève et se dirige vers son camp, puis fouille dans son sac.

— Il est temps que je dégaine mon arme secrète. Au crépuscule, les loups perdront la tête. La sorcière reprendra sa place d'esclave et Carmilla reviendra dans ma couche.

Il sort une pierre et commence à aiguiser sa hache. Il est concentré comme nous ne l'avons jamais vu depuis le début de l'émission. Avec son pouce, il vérifie la lame de son arme et recommence jusqu'à ce qu'il soit satisfait de son tranchant. Alors, il s'attelle à son manche. Il prend une peau de bête avec un bidon et l'astique avec soin. Je vois déjà les mauvaises langues rire de ma description légèrement graveleuse. Vous avez l'esprit mal placé, mes amis, et je ne peux dire autre chose sans devenir vulgaire. MacGregor prépare ses armes, et je ne voudrais pas être un loup. Lorsqu'il termine, il se rassoit et observe les vagues s'échouer sur la plage. Il serre sa hache comme un enfant câline son doudou. Il reste assis là, silencieux.

Soudain, il se redresse, et un sourire vengeur apparaît. Il murmure :

— Je n'aurais jamais pensé avoir de l'aide. Comme quoi, la victoire tient à peu de chose, et toi, mon jeune ami, tu viens de me l'offrir sur un plateau.

Il s'évanouit dans la nature et nous perdons sa trace. Impossible de le retrouver. Certes, nos caméras ont des angles morts, mais tout de même ! MacGregor a disparu de nos radars. Mais qu'est-ce qui a bien pu se passer pour que MacGregor réagisse de la sorte ? Pour le savoir, retournons sur le camp. Gabriel s'est installé près du feu. Il tient dans ses bras Carmilla. Il lui demande :

— Pourquoi tu gardes précieusement ce bijou ?

— Tu ne vas pas me faire une crise de jalousie !

— Non, quoique… c'est ton ex qui te l'a offert.

Elle pouffe de rire. C'est une bien belle façon d'éluder la question, vous ne trouvez pas ? Mais Gabriel va se montrer insistant, et pour une fois, je suis d'accord avec lui. Nous savons que ce bijou représente l'humanité de MacGregor et le côté bestial de Carmilla. Ce n'est qu'un symbole. J'ai hâte de découvrir la vérité. Il reprend :

— Sérieusement, Carmilla, je ne comprends pas. Certes, c'est un artefact ensorcelé capable de pervertir n'importe qui, mais si nous le détruisons, il ne risquera plus de tomber entre de mauvaises mains. Tu ne penses pas ?

— Ce n'est pas si simple. Si je le brise, je redoute de retrouver cette noirceur. Ce n'est pas uniquement symbolique. La sorcière a réalisé des rituels interdits de magie noire pour la retirer de moi. Elle nous a ensuite expliqué que la magie est une question d'équilibre et qu'elle ne pouvait pas ; il fallait quelque chose de lumineux en contrepartie. MacGregor a alors offert son humanité.

— Mais si on le brise, alors…

— Ce n'est pas aussi simple, MacGregor l'a enfoui tellement profond que ce n'était déjà plus vraiment là. C'est un monstre depuis tant d'années.

— Quand même ! S'il a…

— Je refuse d'en entendre plus. Je ne détruirai pas cette pierre, même pour tout l'or du monde. La magie est capricieuse et je ne veux pas me retrouver prise au piège.

Le visage de Gabriel change. On voit très clairement le conflit de loyauté serpenter dans son cerveau. Doit-il garder secret ce que lui a révélé Ethan, son ami d'enfance ? Est-ce que ne rien dire à sa belle reine vampire ne serait pas la trahir ? Dans le doute, faites comme lui. Il ressemble à un mollusque sur la plage. Ne faites rien ! Il la regarde en continuant à la papouiller comme s'il ne détenait aucune information. Je dirais même pire, il jette un regard à Ethan qui effectue des signes pour lui demander de récupérer la pierre. Il semblerait que nos candidats aient oublié un détail. Thya a trouvé la pierre et elle est devenue le pantin de MacGregor. Est-ce que Gabriel va oser la prendre et se transformer en instrument dans les mains du grand méchant ? Est-ce qu'il ne va rien tenter et ignorer les gestes de son garou ? Qui va-t-il choisir ? L'amitié de longue date ou l'amour éphémère ? La raison ou le cœur ? Le cerveau ou le sexe ? Vous me voyez venir… Il est temps pour nous de nous quitter sur toutes ces interrogations et sur les grands signes d'Ethan accompagnés de June et de Derek. Si vous voulez connaître la décision de l'alpha, la réaction de la reine des vampires et surtout la fin de cette aventure, ne manquez pas le dernier épisode de *Treize : qui survivra à MacGregor ?* Eh oui ! C'est déjà la fin de l'aventure de nos candidats, et le dénouement touche à sa fin. Qui survivra ? Qui mourra ? Le suspense reste entier…

Avez-vous décrypté mes indices ? Vous connaîtrez le dénouement… au prochain épisode…

Épisode 26

Judith Mikelson

« Mes chers téléspectateurs, c'est avec une grande émotion que je vous accueille pour l'un des tout derniers épisodes de *Treize, qui survivra à MacGregor ?* Eh oui, le dénouement est proche ! Mais avant cela, je dois vous informer qu'il n'y aura plus de téléréalité interespèce. Cela a provoqué beaucoup trop de problèmes politiques entre nos différents peuples, et les autorités redoutent une guerre. Nous l'avons évitée de justesse, et pourtant la diffusion de la fin de l'aventure n'est pas encore passée. Je vous demande à tous de bien vouloir rester nuancés sur les réseaux sociaux comme à la machine à café. Nous ne sommes qu'un programme de divertissement, et en aucun cas nous ne souhaitions déclencher des conflits.

Maintenant que nous avons fait notre mea culpa, je me dois de vous divertir. Place au bouffon du roi, à nos gladiateurs des temps modernes, à nos bêtes de foire… j'ai nommé nos candidats. Je peux vous dire que la clôture de ce show va nous en donner pour notre argent. Je vous vois me jeter des tomates pour que je laisse place à nos aventuriers, je ne vais pas insister. Vous avez aimé me détester, vous m'avez attendue pendant de nombreuses semaines, alors je vous quitte avec le même panache. Adieu, mes chers téléspectateurs, et place à votre épisode… »

Épisode 26

Ne vous inquiétez pas, je ne vais pas vraiment disparaître de vos écrans. Je serai toujours là dans diverses émissions. Pourvu qu'on ne me retrouve pas à la météo… Seuls ceux qui ont lu le préquel comprendront… Pour cela, rien de plus simple, il vous suffit de vous connecter au site de l'auteur et de le recevoir en cadeau. Après cette page publicitaire, il est temps de connaître la réponse du dilemme de Gabriel. Alors qu'il tient Carmilla dans les bras, il joue avec ses mains pour attraper la pierre. Ethan et Derek l'encouragent avec frénésie, sous le regard amusé des autres qui ne comprennent pas vraiment la situation.

Soudain, l'alpha repousse Carmilla et lui dit :

— Je ne peux pas faire ça ! Je suis désolé, mais c'est impossible.

Elle le regarde, incrédule, se demandant quelle mouche l'a piqué. Il reprend avec des trémolos dans la voix :

— Tu tiens vraiment à cette pierre maudite ?

— Pourquoi tu me questionnes sur ça ?

Ethan s'approche d'elle, plus déterminé que jamais. Il jette un regard noir à son alpha, qui ne peut s'empêcher de le rappeler à l'ordre :

— Arrête, Ethan ! Ce n'est pas bien et tu le sais. Je préfère être sincère. Reste à ta place ! C'est moi qui commande. Compris ?

Ethan ne pipe pas mot, ce qui agace encore plus Gabriel. Il se tourne vers Carmilla et lui prend les mains. Est-ce que la belle s'attend à une demande en mariage ? Je ne sais pas, mais son visage est fermé. La colère assombrit ses yeux. Gabriel ne se démonte pas et lui dit :

— Je n'ai pas tout compris et je m'en fiche, mais Ethan est en contact avec Thya. Elle veut qu'il récupère ta pierre. Elle est prisonnière dans la cour des damnés, et si elle est détruite, elle sera libre de rejoindre les esprits. Elle ajoute que, si l'on désire avoir un énorme avantage, il faut le briser. Je t'en prie…

Elle ne le laisse pas terminer, elle le rejette et se tourne vers Ethan.

— Tu mens ! Tu es pris par la folie. Gabriel, tu devrais le tuer avant qu'il ne devienne aussi fou qu'Isabella. Je ne te donnerai pas la pierre. Est-ce que tu as compris ?

— Je l'aurai et la détruirai.

Il tente de se jeter sur elle, mais Gabriel se positionne entre eux. Il arrête Ethan et pose sa main autour de son cou.

— Ne joue pas au plus con ! Tu vas perdre. Je te demande d'être patient.

— On n'a pas le temps, tu sais très bien qu'au crépuscule MacGregor va nous attaquer. Si elle a encore la pierre, nous sommes tous condamnés. Maintenant, fais ce que tu veux, alpha !

Il feint de se retourner pour prendre ses distances, mais envoie un petit signe à June qui vide son sac de poussière de fée sur Carmilla. La reine vampire n'a pas le temps de réagir et récupère sa pierre dans sa poitrine en poussant des cris de douleur. Elle la laisse tomber au sol, tandis qu'Ethan se précipite pour l'attraper. Aussitôt, June rejette de la poudre de fée dessus. Le jeune homme s'éloigne en courant, sous les insultes de Carmilla. En effet, Lévana l'a bloquée au sol avec des lianes. Elle lui dit :

— Je suis désolée. Mais j'ai exécuté Thya, je ne peux pas la trahir une seconde fois.

Lorsque Derek s'approche d'Ethan, il grogne comme un loup enragé. Il serre la pierre contre sa poitrine. Je crains fort que le plan ne se déroule pas comme prévu. Carmilla se calme aussitôt et dit à Gabriel :

— Je suis désolée, mais tu vas devoir le tuer. Il est sous son emprise. Je le vois dans ses yeux.

— Quoi ? De qui ?

— De MacGregor. Je le savais, s'il s'empare de la pierre, il est sous son emprise. Je te rappelle qu'elle contient ma noirceur et son humanité. Celui qui la détient est sous son emprise. Sauf moi, puisque ma noirceur est l'essence même de la pierre. Comment crois-tu qu'il va la briser alors que MacGregor contrôle ses pensées et tout son corps ?

Ethan est agenouillé dans un coin et observe la pierre avec un sourire narquois. Il murmure :

— Je l'ai eue ! Tu vois que j'en étais capable, Thya.

Mais que se passe-t-il ? Est-ce qu'Ethan a été manipulé par un esprit frappeur ? MacGregor a-t-il la capacité de pervertir même les morts ? Tant de questions et nous allons être très vite fixés, car la disparition de MacGregor est arrivée à la seconde où Ethan est entré en possession de la pierre. Par contre, il y en a une qui ne compte pas rater ses alliés. Elle se redresse alors que Lévana a retiré ses lianes. Elle regarde tous les protagonistes de ce vol et leur lance avec mépris :

— Je vous ai avertis ! Maintenant, nous allons devoir le tuer comme Thya. Je doute que nous puissions faire quoi que ce soit. Vous venez de donner un allié à MacGregor.

— On doit détruire la pierre et je le ferai, assume June. Je n'ai pas confiance en toi. Qui nous dit que la pierre ne t'a pas pervertie ? Si tu penses qu'elle est si néfaste, pourquoi ne le brises-tu pas ?

— Car c'est impossible. Elle a été scellée par un sort de magie interdite. Et s'il est levé…

— Tu retrouveras ta part d'ombre, lance Derek. Je connais cette magie plus que tu ne le crois. Si on la détruit, MacGregor récupérera une part d'humanité qui pourrait le faire hésiter au combat.

— Tais-toi, hurle Carmilla ! Tu ne sais pas ce que tu dis. MacGregor l'a abandonnée bien avant qu'il ne me l'offre pour la placer dans ce bijou. Cela ne nous aidera pas…

Hélas, ils ne vont pas avoir le temps d'en discuter plus. Ethan se retourne avec un air mauvais. Le garçon se met à rire aux éclats, tout en tenant la pierre fermement.

— Pauvres petits agneaux, ricane-t-il. Vous êtes toujours en train de vous disputer.

— Qu'est-ce qui te prend ? demande Gabriel. Ethan, arrête ton cirque et pose la pierre, si tu ne te sens pas de la détenir.

— Ethan ? Il est loin, très cher alpha. Il doit sûrement être dans un coin de sa tête, enfermé avec l'esprit de la chamane.

— MacGregor, enfoiré ! hurle Lévana.

Elle envoie des lianes qui vont ficeler le pauvre Ethan comme un rôti. Le rire qui sort de sa bouche est glacial.

— Il faut récupérer la pierre !

— Non, lance Carmilla. Si l'un de vous la touche, alors MacGregor pourrait prendre possession de son corps. Je m'en occupe !

C'était compter sans June qui se précipite en volant près d'Ethan. Le jeune homme sourit, ouvre la main contenant la pierre et lui murmure :

— J'ai hâte de te posséder, petite fée !

— Je ne crois pas.

Les larmes coulent sur le visage de June. Je dois vous dire que je vous raconte cette scène avec un profond respect pour elle. Je ne pourrais refouler mes émotions face à ces images. Elle passe une main sur ses jolies ailes arc-en-ciel et, dans un cri, elle arrache celle de gauche. Elle prend une teinte dorée et June s'empresse d'enrouler la pierre dedans.

— Mais que fais-tu ? demande MacGregor à travers Ethan.

— Je sacrifie mes ailes pour nous sauver tous ! S'ils sont là, c'est en partie ma faute. Si les autres sont morts, c'est à cause de moi. J'ai créé cette émission pour montrer que nous pouvons vivre ensemble, mais tu as tout perverti.

Elle arrache sa seconde aile alors que des sanglots la traversent, puis elle enroule la pierre. Carmilla s'approche d'elle, mais Lévana la retient.

— Qu'as-tu fait, petite fée ?

— La première va détruire le sort, la seconde ta noirceur.

Elle a à peine terminé sa phrase que ses ailes se mettent à briller d'une lueur intense. Un sifflement de bouilloire s'intensifie pour finir dans un bruit de pétard. Alors, une lueur dorée serpente à travers, comme un missile à tête chercheuse, et s'éloigne du camp.

— June, qu'est-ce que tu as fait ? demande Carmilla.

— J'ai sacrifié mes ailes pour nous donner une chance, et je le devais à Ethan pour avoir joué l'apprenti chimiste avec lui, et à vous tous pour vous avoir entraînés dans ce mauvais pas.

— Mais… tu n'aurais pas dû, ce sacrifice est trop grand !

Carmilla se jette vers elle et la serre si fort contre elle.

— Cela veut dire… demande Gabriel.

Il ne finit pas sa phrase, personne ne le pourrait. June vient de renoncer à sa part de surnaturel. Elle est devenue une simple humaine, sans pouvoir, sans artifice. La poudre de fée est issue de nos ailes, et souvent nos aînés, avant de mourir, les sacrifient pour contribuer à la magie de notre peuple. June est une jeune fée, beaucoup trop jeune pour faire un tel sacrifice. Elle ne pourra rentrer dans sa forêt natale ni travailler pour le roi des fées. Elle va devoir survivre dans le monde des humains sans aucun artifice pour l'aider. Elle n'aura plus le droit d'interagir avec le monde des surnats.

Lucas se précipite vers elle. Il lui attrape les mains et lui dit avec une conviction folle :

— Ne t'en fais pas ! Tu vas vivre avec moi au sein de la meute. Nous avons le droit de prendre des compagnes humaines si elles acceptent nos conditions de garou. Oh, June, pourquoi ?

— Laissez-moi ! Je dois…

Elle se lève et court en direction de la plage. Elle se fige, mais c'est trop tard, MacGregor se tient devant elle.

— Tu sacrifies tes ailes pour me rendre mon humanité ! Ton geste me touche profondément, mais ce n'est pas pour autant que je vais devenir ton ami.

Il dégaine sa hache et s'apprête à décapiter la fée sans ailes, toujours figée. Elle tombe à genoux et découvre son cou prêt à subir son sort. Elle murmure :

— Je t'en prie, libère-moi de cette vie misérable qui m'attend !

Le coup ne vient pas. MacGregor marque un temps d'hésitation, il semblerait que sa part d'humanité lui ait donné un cœur. Et c'est juste le temps qu'il faut à Carmilla pour se précipiter sur lui. Elle le percute à pleine vitesse, l'envoyant voler sur plusieurs mètres à l'extérieur du camp. Il se redresse avec un sourire carnassier, mais il le perd très vite quand la reine des vampires lui lance :

— C'est plus dur de donner un coup fatal quand on a une petite voix dans la tête qui remet tout en question.

— Je m'en contrefiche de tout ça ! Tu le sais très bien. Je ne vais pas la tuer, alors que la laisser en vie la fera beaucoup plus souffrir. Je ne suis pas de ces anges qui abrègent les souffrances. J'aime ça !

— Le mensonge te va si bien.

Elle plante sa main dans le sable, une liane surgit devant MacGregor et le gifle. Il disparaît et réapparaît à quelques centimètres de la belle, qui disparaît à son tour. Alors s'ensuit un vrai jeu du chat et de la souris. Mais que se passe-t-il ? Pourquoi Carmilla le combat-elle seule ? Enfin, c'est un grand mot, elle se contente d'esquiver les coups et de le garder à distance du camp. MacGregor s'arrête soudainement et jette un regard à l'ouverture ; Ayden l'observe, mais tous les autres candidats brillent par leur absence. Il sourit et lance à Carmilla :

— Vous me préparez une surprise, vous êtes si mignons. Tout ce que je veux, c'est la tête des loups. La fée a déjà eu ce qu'elle méritait. Pour les autres, ils vont devenir des esclaves de choix.

— Tu es mort et tu le sais ! Tu n'as plus aucune chance depuis que la fée a sacrifié ses ailes pour nous. Tu connais la rage de vaincre, elle nous l'a transmise. Je pense que j'ai gagné assez de temps.

Ayden acquiesce, alors Carmilla sourit. MacGregor beaucoup moins, il comprend que le vent vient de tourner, et nous ne parlons pas du blizzard. Le combat final est sur le point de commencer. Trois loups sortent de la porte, survolés par un aigle. Les deux sorciers se tiennent juste derrière. Une énorme boule de feu passe par-dessus les remparts du camp. Derek transpire sous l'effort. Il joue avec ses mains, et une multitude de petites boules s'échappent de la grosse et se dirigent vers MacGregor qui est obligé de se déplacer. Alors, les loups l'encerclent. L'aigle le survole, et dès que le feu déstabilise le vampire, il se jette sur lui, toutes serres dehors. Il lui lacère le visage à plusieurs reprises, mais la cicatrisation du vampire est si rapide qu'on a l'impression qu'il ne le touche pas. Les loups tentent de se rapprocher pour lui infliger une morsure mortelle, en vain. Chaque fois, la hache les tient à bonne distance. Je peux vous garantir qu'ils ont failli très souvent subir des blessures graves. S'ils sont toujours en vie, c'est grâce à leur parfaite cohésion. MacGregor est intouchable. Les candidats n'ont aucune chance. Mais comme je suis une fée sympathique, je vais vous révéler… Il est temps de nous quitter. Vous pensiez vraiment que je vous mettrais le combat final sans vous laisser une nuit d'insomnie, vous demandant ce qui pourrait bien se passer ? C'est mal me connaître. Allez, je vous dis… la suite au prochain épisode.

Épisode 27

Judith Mikelson

« Je vous retrouve pour ce jour bien funeste : celui du dernier épisode de *Treize : qui survivra à MacGregor ?* Mes chers téléspectateurs, c'est avec des trémolos dans la voix que je vous annonce que notre idylle est terminée. Comme une femme un peu jalouse, je dois vous quitter après cette dernière émission, car j'ai su... que vous regardiez d'autres programmes dans mon dos. Je sais de source sûre que certains me trompent avec de la téléréalité humaine... Comment osez-vous ? Je me dois de vous informer, non sans une certaine émotion, que nous ne retrouverons plus ce type de programme. Alors, profitez, amusez-vous et dansez sur les cadavres encore chauds. Demain, la fête sera finie et nous regretterons déjà cette nuit. Pourquoi je dis ça ? Et si le grand gagnant était MacGregor et que, justement, tous ceux qui ont regardé cette émission étaient dans sa ligne de mire ? Tout ce que je peux vous dire, c'est que nous ne sommes pas dans un conte de fées. Les méchants peuvent gagner à la fin. Place à nos candidats... place à l'épisode. »

Épisode 27

MacGregor n'est pas vraiment en difficulté face aux assauts des loups et d'Ayden transformé en rapace. Il semble même jouer avec eux comme un chat le ferait avec une souris. Soudain, il parvient à saisir les pattes de l'aigle, il le ramène vers lui et le serre si fort qu'Ayden n'a pas d'autre choix que de reprendre sa forme humaine. MacGregor l'attrape par le cou et, dans un geste invisible à l'œil nu, il range sa hache pour sortir son poignard. Il le place juste sous la gorge du jeune homme qui est pris au piège. Lévana pousse un cri de rage et de frustration.

— Stop ! Que personne ne bouge !

— On s'en tient au plan, lui lance Derek. C'est toi qui l'as imaginé. Tu nous as dit que, si l'un de nous tombait, il fallait poursuivre.

— Ferme-la, tu veux !? Laisse-moi le temps de réfléchir.

Je doute qu'elle ait le temps nécessaire pour ça. Tout le monde s'est figé, attendant son ordre. Même les loups l'observent comme si elle les avait dressés tels des chiens de combat. L'alpha aurait-il perdu de sa supériorité en s'amourachant de la reine des vampires ? Je constate simplement qu'il n'est pas aux commandes. Carmilla se tourne vers Derek et lui lance avec animosité :

— Si tu bouges et qu'Ayden est tué par ta faute, je t'abats de mes propres mains, sorcier de feu.

— Je vois que j'ai votre attention. Vous semblez beaucoup moins unis. Alors on va jouer à un jeu. Vous connaissez « MacGregor a dit… » ?

Personne n'ose broncher ; Ayden, nu comme un ver, est maintenu avec force contre son ancêtre. Il hurle :

— Vous n'allez quand même pas vous laisser faire ! On s'en fout de ma vie, on parle de tuer le connard qui empoisonne l'existence de milliers de…

Il ne finit pas sa phrase, le poignard vient dessiner un trait sur son torse. Il pousse un cri de douleur sous les rires de MacGregor.

— Je n'ai pas dit « MacGregor dit à Ayden d'ouvrir sa grande gueule. » Perdu !

Il raffermit sa prise sur le jeune homme, le sang coule le long de l'entaille. Elle n'est pas vraiment profonde, mais semble drastiquement bien placée pour générer une souffrance intense.

— Alors, mes petits agneaux, on est prêts à jouer ?

Le silence est assourdissant. Les candidats se regardent, tétanisés. MacGregor détient une nouvelle fois le pouvoir et ce n'est pas Ayden qui dira le contraire. Le vampire toussote et lance avec un sourire diabolique :

— MacGregor a dit, on jette des pierres sur les loups.

— Va te faire…

MacGregor recommence et balade son poignard sur le torse d'Ayden qui pousse des hurlements. Ses jambes se dérobent sous lui, mais son bourreau le tient suffisamment pour qu'il ne s'effondre pas.

— Je t'aurais pensé plus vaillant. Deux petites égratignures et tu sombres déjà. Je reprends, on jette gentiment des cailloux sur les loups, sinon je l'égorge.

Carmilla ramasse une poignée de sable et l'envoie sur le dos de Lucas avec une grande délicatesse. Elle avance d'un pas vers MacGregor, qui recule en traînant Ayden avec lui.

— Le sable n'est rien d'autre que des cailloux microscopiques, après tout.

— Doucement, je ne te conseille pas de jouer avec moi. Tu vas devoir faire un choix… Le loup… ton cher enfant…

Aussitôt, la meute se retourne vers Carmilla. Il n'aura fallu que quelques minutes à MacGregor pour prendre l'avantage du combat. Il a réussi à les monter les uns contre les autres. Lévana défie du regard Derek. Quant à lui, ses boules de feu ne se dirigent plus en direction de MacGregor, mais tournent autour de lui. Les loups observent la réaction de Carmilla, les babines sont retroussées et les grognements n'ont plus l'air d'aller à l'encontre du grand méchant de l'histoire. Il susurre à l'oreille de son protégé :

— Tu vois comment on gagne ! En montant les gens les uns contre les autres. J'ai fait la même avec ton peuple. Un vrai jeu d'enfant. Et si on les regardait s'entretuer ?

— Tu n'es qu'un…

Il lui assène un coup de genou en pleine tête à une vitesse vertigineuse. Quand Ayden revient en position, complètement sonné par MacGregor, il a l'arcade ouverte et le sang continue à couler.

— Je n'ai pas envie de boire ton sang poisseux. Je crains trop qu'il ait un pouvoir sur moi. Mais j'ai une idée.

Il élève la voix et reprend :

— Les enfants, et si nous arrêtions ce jeu malsain. J'ai cru comprendre que ma petite sorcière des bois flirtait avec ce jeune couillon. Est-ce que tu tiens suffisamment à lui ? La question reste entière. Donne-moi ton sang, comme ça, je jouerai à armes égales avec Carmilla.

Il n'a pas besoin d'attendre sa réponse, car Derek envoie une boule de feu au pied de la sorcière.

— Si tu bouges et que tu fais ce qu'il te dit, je te crame. Par les flammes de l'enfer, Lévana, ne cède pas et sers-toi de ta cervelle.

Mais la jeune femme est tétanisée, elle regarde Ayden se vider de son sang petit à petit sans pouvoir rien faire. Peut-être que Gabriel devrait reprendre les rênes, car pour l'instant le combat est perdu d'avance. À tous ceux qui ont critiqué MacGregor, commencez à organiser votre fuite et à vous cacher. Ma valise est déjà prête, et si ce n'est pas un indice sur l'issue du combat… Je n'en dirai pas plus.

— STOP ! hurle MacGregor.

Encore une fois, tout le monde se fige et retient son souffle. Il n'y a pas de doute, il mène la danse d'une main de maître. Il regarde Derek et lui avoue sans ménagement :

— Je ne t'aime pas ! Lévana est intouchable. Je ferai d'elle ma… seconde épouse. La première est quelque peu capricieuse, et vous connaissez les hommes, nous avons des besoins.

— Tu n'es qu'un porc arrogant, lance Carmilla. Si seulement tu avais des couilles, tu lâcherais Ayden et tu te battrais.

— Vous êtes toute une armée et je suis seul. Ce n'est pas le camembert qui dit au roquefort qu'il pue. Je te conseille de tuer le loup rapidement.

Pour joindre les paroles aux actes, il enfonce de quelques centimètres sa lame dans le ventre d'Ayden qui hurle à la mort. Il semblerait que MacGregor souhaite retirer l'appendice de ce pauvre garçon, alors qu'il n'est pas anesthésié.

Carmilla se jette sur Gabriel sans crier gare. Ils roulent sur la plage. Le loup tente de la mordre à plusieurs reprises, mais Carmilla esquive toutes les tentatives. MacGregor rit aux éclats et lance :

— Ils ne font pas semblant ! Encore une fois, ta mère se sacrifie pour toi. Tu te rends compte que ta naissance n'a eu de cesse que de lui pourrir sa vie ?

— Je… ne… suis… pas… votre enfant.

MacGregor ne l'écoute plus, il regarde le combat entre les deux anciens amants. Carmilla attrape le museau du loup et le maintien fermé d'une seule main, alors qu'elle lui assène des coups de poing dans les côtes. Lucas s'approche, mais MacGregor lui dit :

— Si tu entres dans la danse, je le tue.

Lucas continue malgré la menace, alors qu'Ayden rit.

— Il… me… déteste !

— Je vois, il ne m'écoutera pas, alors j'ai une idée. Lévana, tu aimes mon fils. Envoie une liane pour tenir ce loup loin du combat.

Lucas se tourne vers la sorcière des bois qui reste figée. Soudain, elle s'agenouille et plante une main dans le sable. Une liane en surgit et se noue autour du cou du loup.

— Je suis désolée, il va l'abattre.

Le loup se débat avec sa laisse. Il cesse de bouger quelques secondes pour comprendre ce qu'il se passe. Il court en direction de Lévana, prêt à mordre. Derek l'arrête avec une boule de feu.

— Non, ne faites pas ça, c'est ce qu'il veut. On va se tuer entre nous et il n'aura qu'à poignarder Ayden.

— Tu te trompes, lance MacGregor sans détourner le regard du combat entre Carmilla et Gabriel. Je désire juste abattre les trois loups, la fée et toi. Les autres vont me rejoindre et devenir mes choses. Une fois que Carmilla aura exécuté son amant, elle sera trop faible émotionnellement et je la ferai entrer dans le rang. Quant à la sorcière, elle est tétanisée, elle est déjà à mon service. Il ne me restera plus qu'à te briser la nuque. Tu auras une mort rapide et sans douleur.

— Tu es tellement suffisant que tu me donnes ta stratégie, lance Derek, ivre de colère.

Il tente d'envoyer une boule de feu, mais le vampire disparaît pour réapparaître légèrement sur le côté. Ayden pousse des cris à réveiller les morts. Derek serre les poings. Tout semble se dérouler selon le plan du plus vieux vampire d'Europe, et personne ne paraît capable d'y mettre fin. Et pourtant, il suffirait d'un petit grain de sable, ou d'une poussière de fée, pour que tout bascule.

Carmilla ne ménage pas ses coups, mais Gabriel n'est pas vraiment impacté. Est-ce que le goût de la trahison lui aurait donné des ailes ? Le loup tente tout pour planter ses crocs dans sa chair. Il bondit en avant et Carmilla l'encercle de ses bras. Sous le poids du loup, elle tombe, et la vitesse les fait rouler dans le sable. Mais un murmure presque inaudible est capté par nos micros nouvelle génération.

— On va tenir combien de temps comme ça ? Il va comprendre que nous jouons la comédie.

La voilà, la terrible vérité : il semblerait que MacGregor soit au spectacle et qu'il soit le dindon de la farce. Soudain, Carmilla se tourne vers Lévana et lui jette un coup d'œil. La jeune femme est en pleurs. Alors, Carmilla lui hurle :

— Tu dois tout faire pour sauver Ayden ! Tu es la meilleure stratège du groupe. Trouve une solution pour tuer les loups. MacGregor nous punira, mais nous serons auprès de lui. Réfléchis…

Elle ne finit pas sa phrase. Gabriel se jette sur elle pour un nouveau roulé-boulé dans le sable.

— Pourvu qu'elle ait compris mon message, murmure-t-elle à nouveau. Quelquefois, elle est limitée du bulbe.

Le loup pousse un grognement, mais pour les plus aguerris, vous aurez deviné qu'il rit. MacGregor ne semble pas s'apercevoir de la supercherie. Et pourtant…

June est toujours sur le camp, ses ailes ont disparu. Elle n'est plus qu'une simple humaine, sans pouvoir, sans magie, sans féerie. Et pourtant… elle s'avance jusqu'à la porte et crie à Ayden :

— Tu étais mignon en souris !

La panique traverse le regard de MacGregor.

— Ne tente même pas…

Il n'a pas le temps de finir sa phrase. Un « pop » retentit, et une souris apparaît, puis disparaît pour laisser place à un aigle. MacGregor essaie de l'attraper à nouveau, mais au lieu de s'envoler, Ayden sautille. Peut-il seulement voler avec ses blessures ? MacGregor tente de le rattraper en se jetant dans le sable. Il se relève juste à temps alors que Lévana hurle :

— MAINTENANT ! On lance le plan initial.

Derek multiplie les boules de feu qu'il envoie à MacGregor pour gêner sa vision. Les loups se jettent sur lui et deviennent de plus en plus proches, l'un d'eux se prend même un coup de hache dans le flanc. Ayden a disparu, mais une petite souris court entre les pattes des loups, laissant derrière elle une fine trace de sang. Il se place devant MacGregor et reprend sa forme humaine. Il fait danser ses pupilles, mais le vampire n'est pas dupe et ferme les yeux pour éviter l'hypnose. Alors, Lévana attrape l'un de ses pieds avec ses lianes et Carmilla le second. Elle se saisit du couteau dans sa poitrine et le lance à Ayden qui le réceptionne parfaitement par la garde et l'enfonce dans le cœur de MacGregor.

Tous se figent sur la plage, comme si la scène était irréelle. Les secondes semblent des minutes, voire des heures. MacGregor pose ses mains sur la garde et plante ses yeux dans ceux d'Ayden qui lui dit :

— Échec et mat !

Il reprend son souffle sous l'effet de la douleur de ses blessures, et annonce :

— Pour mon peuple que tu as décimé depuis des années.

Ses pupilles se mettent à tourner et il prononce ces mots :

— Donne-toi la mort !

MacGregor bouge le couteau dans la plaie, et soudain son corps disparaît dans la poussière. Alors, Ayden tombe à genoux. Le grand méchant est mort et nous avons nos gagnants de *Treize saison 3 : qui survivra à MacGregor ?*

Lévana, sorcière des bois
Derek, sorcier de feu
Gabriel, l'alpha sans territoire
Lucas, bêta de Gabriel
Ethan, garou de Gabriel
June, fée sans ailes
Carmilla, reine des vampires de l'essaim de Bourgogne
Ayden, métamorphe et descendant de MacGregor.

Nous remercions nos illustres candidats pour le show qu'ils nous ont offert. Et je vous dis… Vous pensiez vraiment que j'allais vous quitter comme ça ? Bien sûr que non ! Il nous reste un dernier épisode… Nous verrons notamment la fin de l'aventure de nos candidats, et surtout, je vous propose un *Que sont-ils devenus ?* Parce que l'émission s'est terminée il y a quelque temps… Alors, pour la dernière fois cette fois-ci… la suite au prochain épisode…

Que sont-ils devenus ?

Judith Mikelson

« Bonjour à toutes et à tous ! C'est avec une joie immense que je vous retrouve pour cet ultime épisode de *Treize*. Eh oui, nous allons clore ce chapitre pour toujours. Cette émission va être un peu spéciale, je vais vous narrer les derniers instants de nos candidats sur l'île. Ensuite, je vous raconterai ce que sont devenus nos grands survivants. Ah, j'oubliais, car beaucoup d'entre vous m'ont demandé : qu'est-ce que nos candidats ont gagné ? Tout d'abord, ils ont un abonnement à vie pour les chaînes surnats, ils se sont partagé la somme de cent mille euros, et surtout, ils ont acquis une notoriété dans notre monde, ce qui n'est pas négligeable. Ils sont arrivés en pouilleux, et nous avons fait d'eux des stars. Maintenant, c'est à eux de choisir comment ils vont profiter de cette célébrité, pourvu qu'ils ne deviennent pas nigauds comme certains… Je n'en dirai pas plus !

Allez, trêve de bavardages, il est temps que je vous raconte ce qui s'est passé après la mort de MacGregor. Le temps s'est réellement figé. Personne ne semblait croire à l'exploit qu'ils venaient de réaliser. La première à bouger a été Carmilla, qui s'est dirigée vers Ayden. Elle a pris le tas de cendres entre ses mains et l'a fait glisser le long de ses doigts. Elle s'est tournée vers

Ayden qui la regardait, incrédule, puis elle s'est jetée à son cou.

— On l'a fait ! On a réussi ! Je suis libre, tu es libre. On a gagné.

Elle l'a embrassé sur le front et l'a serré si fort contre elle qu'on se demandait si c'était un câlin ou bien une tentative d'étouffement. Les trois loups se sont regroupés près d'eux et se sont mis à pousser des hurlements. Par contre, Derek n'a pas pu les rejoindre, il a utilisé trop de magie, on aurait dit qu'il s'était asséché comme un pruneau. Lévana le soutenait et a fini par l'allonger au sol.

— Tu devrais retrouver les autres pour aller fêter notre victoire. Après tout, c'est ton plan que nous avons suivi. Tu es une stratège hors pair, Lévana.

— Merci ! Ma soif de vengeance était tellement intense après avoir passé des mois en tant qu'esclave de ce pauvre type.

— On a réussi, j'ai vengé Artémis, sa famille va être de nouveau libre.

Il n'a pu retenir un sanglot, alors Lévana lui a attrapé la main et lui a dit :

— On a libéré les sorciers de ce tordu. On a prouvé que nous étions forts quand on s'unissait.

Personne n'a semblé remarquer qu'il manquait une personne à cette petite fête, et je ne parle pas des morts, bien sûr. June est restée sur le camp. Elle était toujours prostrée dans un coin. Son corps était agité par les sanglots. Elle a relevé le tee-shirt dans son dos pour exposer la cicatrice de ses ailes. Le processus est rapide et, quelques heures plus tard, elle ne garderait que deux traces dans le dos. Un souvenir de sa liberté passée à virevolter dans le ciel.

Le roi des fées est apparu alors près d'elle. Il l'a soulevée délicatement du sol et lui a dit :

— Ton sacrifice est bien trop grand. Comment as-tu pu faire une telle chose ? Tu sais que je ne peux plus rien faire si tu coupes tes deux ailes. Si seulement tu en avais gardé une. Oh, June !

— Carmilla ne voulait pas ressentir cette part d'ombre qui était enfermée. J'ai vu l'angoisse et la détresse, je ne pouvais pas l'ignorer.

— Tu es une personne si bonne.

Il l'a serrée contre lui et June s'est accrochée à son cou comme une enfant aurait pu le faire à son père. Il s'est avancé et a rejoint les autres candidats. Il a pris quelques secondes pour se ressaisir et est redevenu le roi des fées avec toute la prestance que cela demande. Il s'est raclé la gorge.

— Bravo à toutes et à tous !

Il s'est tourné vers la caméra et a hurlé avec joie :

— Nos grands gagnants !

Mais aucun des candidats n'a réagi. Carmilla s'est avancée vers lui et lui a lancé :

— Merci pour votre aide et votre soutien. J'espère que l'émission vous aura rapporté pas mal de pognon. Donnez-moi June ! Je ne suis pas sûre que vous méritiez de la porter de la sorte.

Le roi des fées a baissé la tête, les candidats n'avaient pas vraiment l'air heureux de le voir. Mais pourquoi se prendre la tête ? Après tout, sans lui, il n'y aurait rien eu. Et je vous rappelle que c'est June qui a créé le programme. Je pense que leur rancœur était mal dirigée, si vous voulez mon avis. Mais on ne va pas se gâcher la fête. Par contre, vous comprenez pourquoi nous avons écourté l'avant-dernier épisode.

Le roi des fées a tapé dans ses mains, et des bateaux sont apparus. Sous les grognements de Lucas, Carmilla a récupéré June. Elle n'a pu s'empêcher une remarque acerbe auprès de tous les dirigeants.

— Notre groupe a été formé dans un combat qui ne devait en aucun cas être le nôtre. C'est pourquoi je demande, en tant que reine des vampires, de ne pas interagir avec vos lois ridicules. Nous allons vivre ensemble et nous côtoyer, que cela vous plaise ou non. Si cela pose un problème, alors vous aurez affaire à moi. En tant que politicienne, je suis intraitable.

Les autres étaient déjà montés dans le bateau, elle a passé June, toujours en sanglots, à Derek qui l'a prise délicatement, puis a sauté dans l'hydroglisseur. Le roi des fées a tapé dans ses mains et le bateau a démarré, alors qu'il leur faisait signe de la main pour conclure par un clin d'œil.

Voilà, mes amis, comment s'est terminée notre saga préférée. Il est vrai que, sous le coup de la fatigue, nos candidats ne se sont pas montrés enjoués. La fête a été quelque peu gâchée, dirons-nous. Mais depuis, ils se sont tous reposés et nous allons pouvoir vous donner des nouvelles bien fraîches.

Tout d'abord, notre meute, qui a fini à trois sur quatre, a été félicitée par l'alpha des alphas. Comme gain supplémentaire à l'émission, Gabriel a obtenu un territoire. Mais je vous parlerai plus tard de celui-ci.

Lucas n'a pas suivi immédiatement son alpha. Il est resté à Paris près de notre tour Surnat. Le roi des fées, dans sa grande bonté, a accordé à June des soins médicaux spéciaux pour tenter de retrouver ses ailes, en vain. Lucas est resté auprès d'elle pendant tout ce temps. Lorsque notre ancienne fée a compris qu'il n'y avait plus d'espoir, et surtout qu'elle voyait son joli loup souffrir de l'éloignement de la meute, elle a tout arrêté. Elle a fait ses bagages, puis ils sont partis rejoindre Gabriel sur son territoire. June et lui ont officialisé les choses et elle est devenue sa compagne. Ils habitent dans une petite maison en pleine campagne, où June a pu retrouver les joies de la forêt. Même si elle ne peut plus voler ni se servir de la magie, elle prétend être plus heureuse que quand elle travaillait à Paris. Ment-elle par fierté ? Je ne saurais vous le dire, mais je peux vous garantir que je l'ai eue en visio plusieurs fois et qu'elle respire la joie de vivre.

Le retour à la vie normale a été plus compliqué pour Ethan. L'alpha des alphas a décidé de le garder près de lui pour s'assurer qu'il ne devienne pas fou. Gabriel a bien tenté de plaider en sa faveur, en vain. Il est resté sous haute surveillance. Très vite, le jeune homme a réussi à montrer patte blanche. Il serait toujours en contact avec l'esprit de Thya, qui le pousse à se former en tant que chaman. On ne sait pas s'il va accepter ni si les politiques sont d'accord. Nous avons tenté d'interroger les deux parties, en vain. Ethan nous a assuré être plus présent sur le territoire de son alpha que celui du grand patron. Le bilan : Ethan a rejoint sa meute sans souci et il vit heureux parmi les siens. On raconte qu'une petite fée du nom de Jesmi vient souvent rendre visite à June et qu'elle passerait de longues heures auprès d'Ethan, mais ce ne sont que des rumeurs… Affaire à suivre…

Vous voulez savoir pour Carmilla et Gabriel ? Était-ce une histoire de cœur ou de sexe ? Allez, je suis d'une humeur clémente, alors que nous approchons de la fin, et je ne vais pas vous faire languir. Carmilla n'est plus la reine de l'essaim de Bourgogne. Rassurez-vous, elle est toujours à la tête de sa communauté, mais tout le monde a dû déménager dans les Yvelines. Pourquoi, me direz-vous ? En tant que reine, elle méritait d'avoir son château et elle a donc emménagé près de Versailles. Elle réside dans une petite ville nommée Saint-Rémy-lès-Chevreuse. Mais pourquoi donc, me demanderez-vous ? Je vous le donne en mille : Gabriel n'est autre que l'alpha du territoire de la vallée de Chevreuse. Eh oui, mes amis, l'idylle continue ! Carmilla a monté une association pour aider tous les êtres surnaturels d'espèces différentes vivant en couple malgré les interdictions. Elle a mis un grand coup de pied dans la fourmilière, je peux vous le dire. D'ailleurs, si vous êtes dans cette situation, n'hésitez pas à la contacter.

Ce qui nous fait une parfaite transition avec Ayden. Comme vous le savez, Carmilla donnait des fonds pour sauver tous les métamorphes victimes de la barbarie de MacGregor. Tous ceux qu'elle a aidés à dissimuler peuvent revenir et vivre une vie meilleure. Afin que tout cela ne se reproduise pas, ils ont décidé de créer un gouvernement qui les représenterait, et qui est le mieux placé pour le faire ? Eh bien, c'est Ayden ! À l'heure où je parle, il a refusé le poste, prétextant le fait de ne pas supporter les politiques. Il va falloir plusieurs années pour qu'ils parviennent à construire un gouvernement digne de ce nom. Après tout, Rome ne s'est pas faite en un jour. Par contre, on aurait aperçu très régulièrement le jeune homme accompagné de sorcières. Il traîne notamment près de la communauté des sorciers des bois. On l'aurait très souvent vu être chassé par une madame Strain, ivre de colère. Il semblerait que le métamorphe ne soit pas assez bien pour sa fille Lévana. J'ai même entendu dire qu'il aurait fait appel à Carmilla et qu'il pourrait rejoindre le territoire de Gabriel, mais encore une fois, ce ne sont que des cancans. Ceci dit, au dernier repas mondain des sorciers, madame Strain était seule et très aigrie par la vie. Je dis ça, je ne dis rien.

Derek n'est pas passé par chez lui. Son père est au bord de l'explosion. Il cherche son fils et il a mandaté un nombre incalculable de personnes pour le ramener auprès de lui. On raconte qu'il sillonne le monde pour découvrir différentes cultures.

Toute l'équipe et moi-même nous associons aux familles des victimes de ce programme. Nous leur dédions cet épisode :

James Filigan, fée présentatrice de la saison 1

Isabella, oméga de la meute de Gabriel

Artémis, sorcière d'eau

Bibu, gobelin creuseur de tunnel

Thya, chamane de la famille des Wu

Joshua, jeune vampire de l'essaim de Bourgogne

Severn, vampire et ami fidèle du plus vieux vampire du monde

Grégoire, merci pour sa simple apparition éphémère

Angel, vampire tortionnaire

Et enfin, le tristement célèbre MacGregor, le plus vieux vampire d'Europe.

C'est avec nostalgie et une boule dans la gorge que je vous fais mes adieux. Cette fois-ci, c'est vraiment la fin. C'est avec passion que je vous ai raconté l'histoire de ces candidats hors du commun. J'ai adoré découvrir vos chroniques passionnées sur cette aventure. Je vous le redis encore une fois, mais nous ne verrons plus de téléréalité. Elle cause beaucoup plus de tort que de bien. Alors, avec une émotion non dissimulée, je tire ma révérence et vous souhaite de vivre au lieu de survivre, d'aimer au lieu de haïr et de chanter au lieu de bougonner. »

Judith Mikelson, fée présentatrice avec un humour décalé et sarcastique.

Remerciements

Mes premiers remerciements vont vers mes parents qui me soutiennent dans cette aventure. Ma maman par ses soirées à lire et corriger mes fautes et mes tournures de phrases et à mon papa qui partage son bureau avec moi provisoirement.

Merci à mes bêtas lectrices qui sont là depuis mon premier livre, Virginie, Corinne et Manon. J'adore vos textos et vos réactions sur ce que je fais subir à mes personnages.

D'ailleurs, je tiens à remercier mes personnages et m'excuse de tout ce que je leur fais subir, en sachant les épreuves qui les attendent.

Je remercie ma cousine Elodie qui lit mes livres en avant-première et qui m'envoie plein d'encouragements.

Un énorme merci et ce mot ne suffirait pas à mon tonton Armand pour tout ce qu'il fait pour moi et ma famille. Et merci à tous ceux qui sont là les Week end avec une bétonnière ou un marteau, Jean-Pierre, Lilou, Jean-Marc, Pascal, Nico, Mick, Romain, Fred, Julien, Erwan, Axel, Thomas et Damien.

Et je termine avec un énorme merci à toi Lecteur, sans toi je ne vivrais pas mon rêve…

Compte Instagram :

JULIA_MACFOLAGAN

Facebook et TikTok :
@JuliaMacFolagan

Si le livre vous a plu, n'hésitez pas à laisser un commentaire sur Amazon.
Cela fait vraiment plaisir et nous permet de gagner en visibilité.

Si vous souhaitez en savoir plus sur moi et mon univers, je suis disponible sur les réseaux. Je me ferai un plaisir de répondre à vos questions.

Vous pouvez aussi vous abonner à ma newsletter et recevoir des nouvelles, des cadeaux et des exclusivités sur https://juliamacfolagan.com